U0064627

劉福春 · 李怡 主編

民國文學珍稀文獻集成

第一輯

新詩舊集影印叢編　第 21 冊

【《湖畔》卷】

湖畔

杭州：湖畔詩社 1922 年 4 月版

漠華等 著

【《春的歌集》卷】

春的歌集

杭州：湖畔詩社 1923 年 12 月版

雪峰等 著

花木蘭文化出版社

國家圖書館出版品預行編目資料

湖畔／漢華等 著　春的歌集／雪峰等 著—初版—新北市：花木
蘭文化出版社，2016
　〔民 105〕
　114 面／216 面；19×26 公分
　（民國文學珍稀文獻集成・第一輯・新詩舊集影印叢編　第 21 冊）
　ISBN：978-986-404-622-5（套書精裝）
831.8　　　　　　　　　　　　　　　　　　　　105002931

ISBN-978-986-404-622-5

9 789864 046225

民國文學珍稀文獻集成・第一輯・新詩舊集影印叢編（1-50 冊）

第 21 冊

湖畔
春的歌集

著　　者　漢華 等／雪峰 等
主　　編　劉福春、李怡
企　　劃　首都師範大學中國詩歌研究中心
　　　　　北京師範大學民國歷史文化與文學研究中心
　　　　　（臺灣）政治大學民國歷史文化與文學研究中心
總 編 輯　杜潔祥
副總編輯　楊嘉樂
編　　輯　許郁翎
出　　版　花木蘭文化出版社
社　　長　高小娟
聯絡地址　235 新北市中和區中安街七二號十三樓
　　　　　電話：02-2923-1455／傳真：02-2923-1452
網　　址　http://www.huamulan.tw 信箱 hml810518@gmail.com
印　　刷　普羅文化出版廣告事業
初　　版　2016 年 4 月
定　　價　第一輯 1-50 冊（精裝）新台幣 120,000 元

版權所有・請勿翻印

湖畔

漠華等 著

湖畔詩社（杭州）一九二二年四月初版。原書四十開。

湖　畔

一九二二年
　　油菜花黃時

湖

畔

湖畔

目錄

（二）

湖畔

（三）

目錄

修人底詩

湖畔

（五）

湖 畔

汪靜之底詩

（六）

我們歌笑在湖畔

我們歌哭在湖畔

湖畔

或者

籬旁的村狗不吠我，
　　或者他認得我；
提着筠籃兒的姑姑不囘答我，
　　或者伊不認得我。

——修人，1922，3，12，晨——

（ 1 ）

湖　畔

雨後的蚯蚓

雨止了，

操場上只賸有細沙。

蚯蚓們穿着沙衣不息地動着。

不能進退前後，

也不能轉移左右。

但總不息地動呵！

雨後的蚯蚓的生命呀！

——雪峯, 杭州, 1921,11,26——

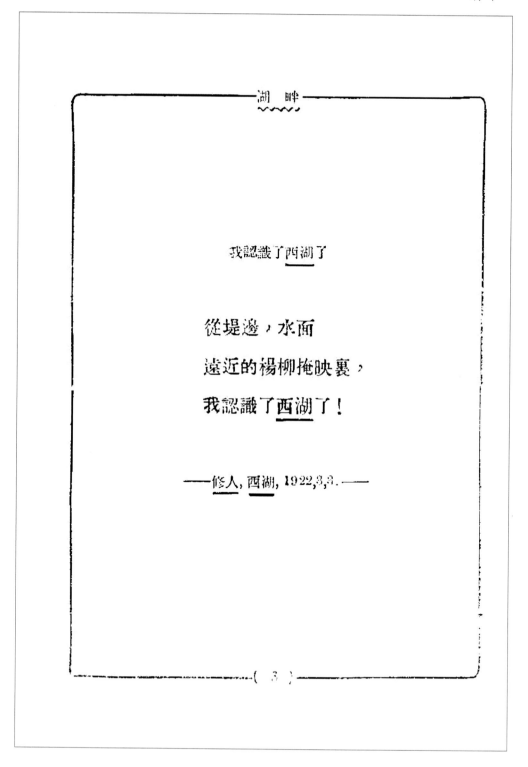

湖　畔

我認識了西湖了

從堤邊，水面
遠近的楊柳掩映裏，
我認識了西湖了！

——修人，西湖，1922,3,3.——

（ 3 ）

湖　畔

草　野

（一）

寂寞的清醒的早晨，棲婦已止了哭泣，孤兒是疲乏了，歌女底哀婉的歌聲渺了，遊行者也停止他沉重的腳步：一切，一切都睡在美夢底茫茫裏，安慰他們自己。

晨光透過疏林，金黃的，燦爛的：在漠漠的大地上跳舞。

但那時，靑年却扶着淚躑躅在草野。

（二）

赤熱的仁愛的太陽，不忍看也看不過這在人世間底遍開着的罪惡底花，滿結着的罪惡底果

（　4　）

；他匆匆跑過青碧的穹天，哭紅了臉，掩在西方森林底背後，灑出萬點黃金的淚。

他終於遲遲地沉沒在紅霞的海裏去了！

但那時，青年又扶着淚躑躅在草野。

（三）

老少男女在茅舍裏坐着對哭，月光姍姍地走過他們底窗下。

一切事情都過去了。夜是淒涼的沉寂。

但那時，青年又扶着淚躑躅在草野。

——漠華，杭州，1922，2，25——

湖　畔

第一夜

（上）

哥哥底懷裏，

也有媽媽樣的溫暖嗎？

這是嶄新的第一夜呵！

頰兒偎我，

腕兒鈎我，

小調兒醉我，

小哥哥並枕而睡地伴我。

要明天領我上棲霞嶺去，

（ 6 ）

湖　畔

讓小哥哥睡熟吧。

小哥哥睡熟了，

我倒不忍睡熟了。

——這夢中的微笑，

儘讓燈光鍋白兒看，

不是太罪過嗎？

移他底臉兒，移得更近些；

捏他底手兒，捏得更緊些：

這樣，我可以放心睡去了。

離開媽媽底枕兒有九年了；

湖 畔

盡情的酣睡，

這是重溫的第一夜呵！

——修人，西湖，1922，3，31，夜——

（下）

被角兒散開了。

讓他自由些時吧！

抱緊了的手兒

騰不出這閒功夫呵！

——修人，西湖，1922，4，1，曉——

（8）

湖　畔

新　柳

　　軟風吹着，細霧罩着，淺草托着，碧流映着：——春色已上了柳梢了。

　　村外底小河邊，抽出些又纖又弱的柳條兒，滿黏着些又小又嫩的柳芽兒。

　　但是春寒還重呢！　柳呵！你這樣地抽青，是爲你底生命努力嗎？還是爲要給太陽底下底行人造成些傘蓋嗎？……

　　　　——修人，慈谿，1920，3，10，曉——

湖 畔

小朋友

在杭州最寂靜的那條街上，

我有一個不相識的小朋友。

一天我走過那裏，

他立在他底門口，

看着我，一笑。

我問他，"你是那個？"

他說，"我就是我呵。"

我又問他，"你姓甚？"

他說，"我忘却了。"

我想再問他，

他却回頭走了。

後來，我常常去尋他，

湖　畔

却再也尋不到了。

但他總逃不掉是我底

不相識的小朋友呵！

——雪峯，杭州，1921，11，24——

湖　畔

轎　夫

倦乏了的轎夫，

呆呆地坐在我底身邊，

俯首凝視着石磴上紛披的亂草與零落的黃葉。

倩笑的姑娘，

爛熳活潑的童子，

赤裸裸臥在海邊號哭的婦人：

這些可使我笑可使我流淚的，

（12）

湖　畔

盡在我膝頭展開的畫冊上鮮明地跳躍。

但這於他有什麼呢？

他只從紛披的亂草裏，

看出他妻底憔悴的面龐；

他只在零落的黃葉裏，

看出他兒女底烏黑的眼睛。

——漠華，1922，4，1；

伴修人，雪峯，靜之遊紫雲洞時——

（12）

湖畔

楊 柳

楊柳彎着身兒側着耳，

聽湖裏魚們底細語；

風來了，

他搖搖頭兒叫風不要響。

——雪峯，西湖，

1922，3，23——

(14)

湖　畔

花　影

憔悴的花影倒入湖裏，
水是憂悶不過了；
魚們稍一跳動，
伊底心便破碎了。

——寧峯，西湖，

一九二二，桃花謝時——

（　15　）

在江邊小坐

不歇的波浪
終不歇地向岸邊洶湧。
這邊纔響得飛散地濡濡地低了，
那邊又甯蓬地捧起一個碧波來。
恰像那萬條雪鍊蛇兒
連緜地橫着身兒蠕動。

淺灘上有些疏疏落落的小草，
剛迎得浪來
又翻身送了浪去。

湖　畔

他們還顧盼自喜地笑，
但我看未免太忙了！

小小的蟹兒
三三兩兩地在泥洞邊游戲，
嘴上底沫珠兒晶晶地映在太陽光裏。
小小的蟹兒呵！
你們天天在這裏游戲嗎？

綠茸茸草地的江邊，
戀得住我底心，終戀不住我底身。
我要走了！

湖 畔

我笑那些小草，

也要給那些小草笑了。

但波兒底活潑，

蟹兒底靜逸，

能給我帶些囘去嗎？

——修人，吳淞，1920，8，20——

(16)

湖 畔

一 生

靈巧的巢兒築成了，

　　便呢喃呢喃，長在人家簷下呢喃；

嬌小的乳燕滿巢了，

　　便飛翔飛翔，不停地爲哺飼而飛翔。

燕子呵！燕子呵！

這便是你們底一生嗎？

　　　　——修人，慈谿，1921，6，15——

(9)

湖　畔

聽玄仁槿女士奏佳耶琴

沒處灑的熱淚，

　　向你灑了吧！

你咽聲低泣；

你抗聲悲歌。

　　你萬千怨恨都迸到指尖，

　　　指尖傳到琴弦，

　　　　琴弦聲聲地深入人底心了；

　　你發洩了你底沉痛多少？

　　蘊藏在你心底裏的沉痛還有多少？

（ 20 ）

湖 畔

呵！人世間還剩這哀怨的音，

　總是我們底羞吧！

　　我底高麗呵！

　　我底中華呵！

　　我底日本呵！

　　我底歐羅巴洲呵！……

　　　　——修人，上海，世界語學會歌舞大會，

　　　　　　　1921，12，19，夜——

（ 21 ）

湖　畔

孤　寂

（一）

沉悶的二月天底午後，

躺在屋角放着的籐椅上，

聽那浮浪的朋友拉着寂寞的胡琴。

拉到嗚嗚咽咽了，

他面上忽湧出神祕的微笑；

待到微笑去了，

孤寂依然兜上他底心頭。

（二）

石沙鋪着的大街上，

他兩手放在衣袋裏向前走着。

（ 22 ）

湖　畔

紅蘿蔔放在籃裏担過去了，

婦人拿着艷黃的一串一串的絲走過去，

喊賣落花生的粗厚的聲音也抹過他底耳邊；

還有那大袖光髮的青年兄弟，

那紅裳白衫的青年姊妹，

都說着笑着走過他底身旁：

但他們却沒有帶了他底孤寂去。

他底眼儘看着花花落落的走來；

儘看着花花落落的過去；

却徐徐地更擴大他底孤寂的世界，

在人們看不見的深遠處。

————漠華，杭州，1922，3，19————

(23)

湖畔

含苞

露珠兒要滴了，

乳葉兒掩映，

含苞的薔薇醞釀着簇新的生命。

任他風雨催你，

你儘管慢慢地開。

悠久的花期，

豐美的花瓣，

你知道正從這"慢慢地"而來嗎？

"妹妹杜鵑花，伊已先我吐華了。"

（ 24 ）

湖　畔

可愛的薔薇呵！這非你所應該較量的。

"春光遲暮，怕粉蝶兒要倦遊了。"

這也非你所應該猜疑的。

我愛這纖纖的花苞兒

蘊藉着無量的美，

——無量地爛漫的將來。

你儘管慢慢地開，

我底純潔的薔薇呵！

——修人，

上海，

1921，4，25——

（ 25 ）

湖畔

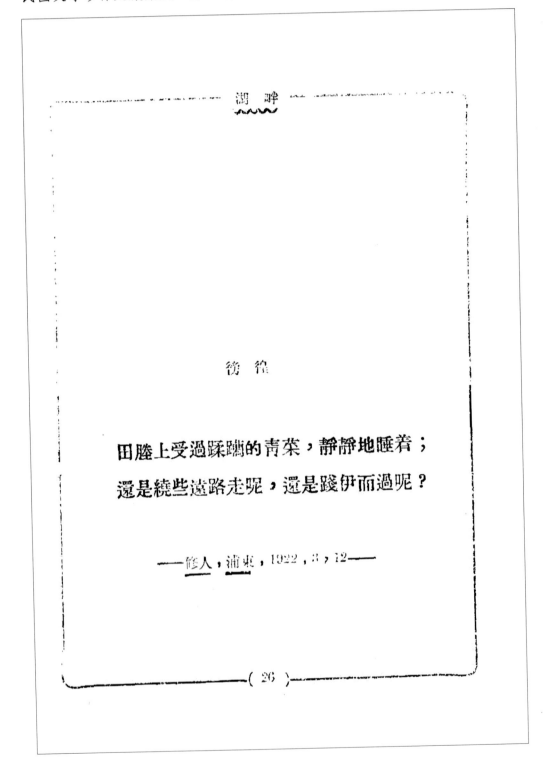

等待

田塍上受過踩躪的青菜，靜靜地睡着；
還是繞些遠路走呢，還是踐伊而過呢？

——修人，浦東，1922，3，12——

（26）

豆　畔

豆　花

豆花，

潔白的豆花，

睡在茶樹底嫩枝上，

　　——萎了！

去問問歧路上的姊妹們

決心捨棄了田間不曾。

——修人，西湖，風篁嶺：1922，4，4——

湖 畔

歌

怪道湖邊花都飛盡了，

怪道尋不見柳浪的鶯了，

——哦！春鎖在這嫩綠的窗裏了？

是沒弦兒的琴？

是那裏泉鳴的韻？

—— 咦！我竟只能微笑，屏息地微笑了？

（ 28 ）

湖　畔

這麼天眞的人生！

這麼放情地頌美這靑春！

——喲！甘霖地澆潤了沉寂的我了！

花羞紅了臉兒了。

黃鶯兒也羞不成腔兒了。

——呵！伊們，管領不住春的，飛了，飛了！

——修人，西湖，1922，4，4——

（23）

湖 呼

呵

靜悄的早晨，

含着寒意的朝氣，

這隱約的悲哀，

就潛聲地抑跳在我底心底。

我想念我底死父，

他呀，臥在一堆黃土中

——青草長着的下底；

我底母親，扼心愁苦在房裏罷？

一回想念已故人，一回想念遠遊的兒子！

呵！匆匆過來已近一年了！

湖　畔

我父親底靈魂呀，

莫不是已昇上天麼？

你知不知母親底心酸？

想念否我們失父底悲哀？

呵！你應當歸來呀！

我淚眼望青天，

青天遊着白雲罷。

父親你莫掩去你底面！

我正在用眼追尋你呢，

呵，你應當歸來罷！

——漠華，杭州，

1921，11，12——

（21）

湖 畔

迴欄下

夜風倏倏地吹動

沐浴在星光裏的綠葉們

婆娑着颯颯的微語；

他此時在迴欄下慢慢地走過去了，

是低微唱出淒婉的歌。

思父的歌麼？

思母的歌麼？

思兄弟姊妹的歌麼？

他面上是掛着淚的！

——漢華，杭州，

1922，3，28——

（ 32 ）

湖　畔

黃昏後

悲哀輕烟似的來了！

紅雲泛上面頰，

用手掠過蓬茸的頭髮。

悲哀輕煙似的去了！

紅雲泛上面頰，

用手掠過蓬茸的頭髮。

——漠華，杭州，

1922，5，4——

湖　畔

塔　下

（一）

藍花亂綴在草梢頭，

開滿了路旁的坟背：

我低頭走過去，

我底朋友們也低頭走過去。

悵惘坐在雷峯塔下的亭欄上，

我淡漠的臉色，

掩不了從那些開放在眼前的藍花所引起的沉沉

　　的悲傷——

這像春風織就的湖波似的，

這像柳姑娘底蓬蓬的散髮似的，

層層綯上心頭來了，

（84）

湖畔

紛紛披在心靈底周圍；

使我只有乾癟的微笑着，

隨意把橫笛兒嗚嗚吹起。

（二）

寶俶塔下留迸着夕陽的古道上，

我們晚靜的心裏，

各自梳理着今天底遊情：

把草花放在笛頭，

手兒交在背後，

懶懶地慢步歸來。

——漠華，1922，4，1，

伴修人，雪峯，靜之遊西湖時——

（ 35 ）

湖畔

棲霞嶺

棲霞嶺上底大樹，

雖然沒有紅的白的花兒飛，

却也蕭蕭地脫了幾張葉兒破破寂寞。

——雪峯，棲霞嶺，19.2，4，1——

{ 36 }

湖 畔

清明日

清明日，

我沈沈地到街上去跑；

插在門上的柳枝下，

彷彿地看見簪豆花的小妹妹底影子。

——雪峯，杭州，1923年，清明日——

（ 37 ）

湖 畔

城外紀遊

（一）

我們竟跑得有些倦了；

便在一間草舍的旁邊坐下來。

"鄉間真有趣呵！"

漠華這樣地哼了一聲，

驚醒了一個睡在

一堆乾草的上邊

黃狗的腳邊的小孩子。

他起來向我們看了好久；

他那含着指頭微笑着的臉的可愛呵！

我們真仰羨極了。

漠華說，"為了小孩子也要住鄉間。"

（ 38 ）

我說，"為了小孩子也不好不結婚。"

（二）

我們來到一個小小的村莊的時候，

肚裏覺得有點飢了；

便在那兒的一舖店中，

買了許多的果餅；

那店主是一個十八九歲的女子，

雖說是蓬頭散髮，

但性情却有些溫和；

我們因為果餅買得多了，

在那裏也須好一會，

臨走時便覺得有些戀戀了。

（39）

湖 畔

（三）

我們打算回來了；

一隻杜鵑却也不忍捨了，

哥哥，哥哥，儘向我們叫着。

我們便唱了一個歌兒：

"杜鵑妹妹呀！

你怎的只管哥哥，哥哥？

你快來和哥哥們到城裏耍子耍子罷！

你快來親吻罷；

你底紅嘴巴，

染紅了哥哥們底心罷！"

——雪峯，杭州，1922，4，12——

（49）

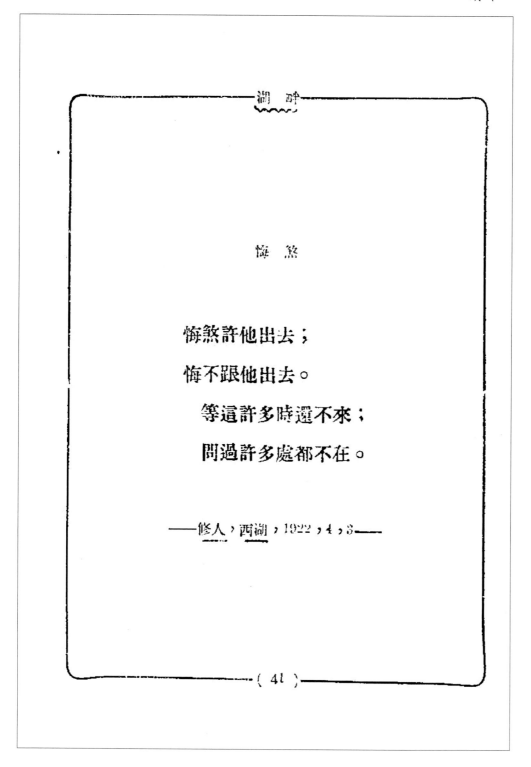

湖畔

悔煞

悔煞許他出去；

悔不跟他出去。

等這許多時還不來；

問過許多處都不在。

——修人，西湖，1922，4，8——

(41)

湖 畔

遊 子

破落的茅舍裏，

母親坐在柴堆上縫衣——

哥哥摔蕩摔蕩的手，

弟弟沿着桌圈兒跑的脚，

父親看顧着的微笑：

都縷縷抽出快樂的絲來了，

穿在母親縫衣底針上。

浮浪無定的遊子，

在門前草地上息息力，

徐徐起身抹着眼淚走過去：

父親乾枯的眼睛，

母親沒奈何的空安慰，

(42)

湖　畔

兄弟姊妹底對哭，

那人兒底濕遍淚的青衫袖：

一切，一切在迷漠的記憶裏

葬着的悲哀的影，

都在他深沉而冰冷的心坎裏，

滾成明瑩的圓珠，

穿在那縫衣婦人底線上。

———漠華，杭州，1922，2，22———

（43）

湖 畔

稻 香

稻香瀰漫的田野，

伊飄飄地走來，

摘了一朵美麗的草花贈我，

我當時模糊地受了。

現在呢，却很悔呵！

爲甚麼那時不說句話謝謝伊呢？

使得眼前人已不見了，

想謝也無從謝起！

——漠華，杭州，1922，1，5——

(41)

湖畔

回望

倚着橋欄望望來時路，

那草舍底門前，

滿田菜花黃的田塍上，

禿桑綠竹的路旁，

許多不相識的人們，

在我過來的足跡上，

又加上錯亂的新的履痕了。

——漠華，杭州，1922,3,12——

(45)

湖 畔

三隻狗

月亮底下的草場中，

三隻狗面對面地坐着；

看看月亮怪淒涼的。

有個人走到那裏，

他們向他點點頭，

仍舊看他們的月亮，

而且親親嘴搖搖耳朵。

他呆視了一會，

說，"他們相戀着罷。"

他流流眼淚囘去了。

(46)

湖畔

月亮底下的草場中，

三隻狗面對面地坐着；

看看月亮怪淒涼的。

——雪峯，杭州，1921,12,8——

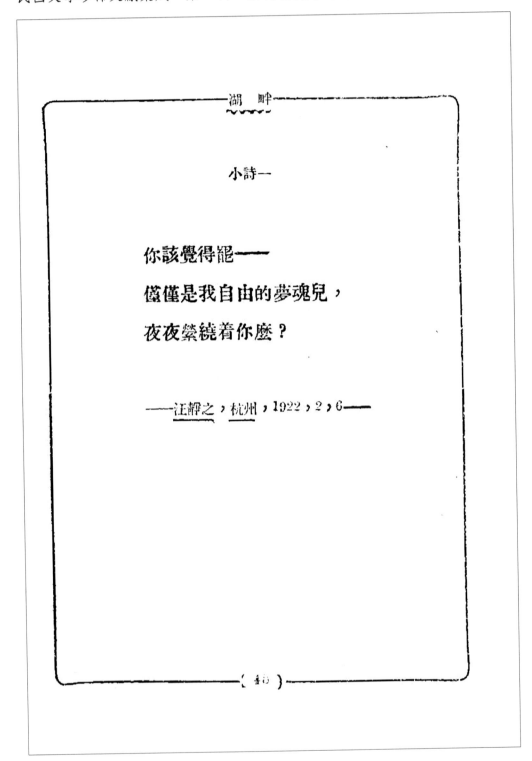

湖　畔

小詩一

你該覺得罷——

儘僅是我自由的夢魂兒，

夜夜縈繞着你麼？

——汪靜之，杭州，1922，2，6——

(46)

湖　畔

柳

幾天不見，

柳妹妹又換了新裝了！

——換得更清麗了！

可惜妹妹不像媽媽疼我，

妹妹總不肯把換下的衣裳給我。

——修人，楚王渡，1922，3，10，晨——

（49）

湖 畔

小詩二

風吹縐了的水，

沒來由地波呀，波呀。

———汪靜之，杭州，1922，2，6———

湖 畔

睡 歌

睡罷，靜靜地睡罷！

我底寶貝呀！

不要再哭了，

你已哭得很夠了，

爸爸們已聽得煩惱了；

要是你再哭，他們便忍不住了。

你不怕打嗎？

你前天哭，

爸那樣利害地打你，

你忘記了嗎？

睡罷，靜靜地睡罷！

(51)

湖 畔

我再沒有工夫慰你了；

爸爸們底衣服不是要浣嗎？

你底小衫不是也要補嗎？

新年就要到了，

你底花鞋還沒有做過一針呢。

呵，太陽已將當頂了，

中飯還沒有炊呵；

還要飼豬呵，

還要捆柴呵。

唉！寶貝呀！

不要再哭了，

爸來打雖打在你身上，

痛依然痛在我心裏；

(52)

湖畔

爸來打要打在我身上，

那末，你心裏也要痛呵。

那次你忘記了嗎？——

我因為你哭，

暫停了工作來抱你；

爸不是怨我待你太殷勤，太寵愛嗎？

不是因此而打我嗎？

唉！寶貝呀！

不要再哭了，

我也忍不了；

你一聲聲叫得我心兒如箭穿，

肉兒如火燒；

你爸底拳頭，你祖母底巴掌，

湖 畔

那裏有這般痛人呀！

但我怎敢大聲哭呢？

你爲什麼要這般哭呢？

莫不是怪我待你太冷淡嗎？

但我實在不能專伏侍你——

你出世錯了，

怎偏偏生到我們家裏來呢？——

還是因爲他們刻待我，

所以你哭嗎？

那末，你可不要哭了，

給我爭一口氣呵！

我便苦也甜呵！

湖　畔

你底母親世上已沒有親愛的人了，

只有你呵，只有你這親愛的寶貝呵！

你底母親世上已沒有一點希望了，

只希望你呵，希望你平平安安地長起來呵！

快點長起來，

長成一個很強健的人：

能夠種稻，能夠挑柴；

能夠報養你底母親。

天呀！求你睜開眼睛，

保佑我底寶貝呀！

呵，寶貝呀！

天公會保佑你的，

你好好地自己長起來；

湖 畔

你好自討個極美麗的老婆，

你好自由地選擇一個。

我既被人誤了：

我決不忍再來誤你呵！

但你千可萬可，

總總不可像你爸待你媽這般，

待你底愛人呵！

--睡罷！我底寶貝呀！

靜靜地睡罷，

快快地睡罷！

我心中底一切都告訴你了，

你仍舊得不著些安慰嗎？

(56)

湖　畔

　　——此篇也許可作我母親底寫眞；我作時淚便比詩先出

而且比詩多了。

　　雪峯，杭州，1922，1，12——

湖　畔

靈隱道上

在到靈隱去的那條路上，

我們碰着許多轎子；

但我只留眼過一把。

轎夫底臉還沒有洗，

可見他們底早餐也不曾用過了；

但這時太陽已很高了。

轎內是一個年青的婦人，

伊雖坐得很端正，

却睨着眼兒看看我們；

湖　畔

伊雖打扮得很美麗，

却遮不了滿心的悲苦。

——於是我們知道

苦痛的種子已散遍人間了。

——雪峯，杭州，1922，3，29——

湖畔

撒却

涼風抹過水面，

划船的老人低着頭兒想了。

流着淚兒，

盡力掉着槳兒，

水花四濺起，

他撒却他底悲哀了！

　坐在磐石上浣衣的少婦，

依稀看着溪岸柳絲底影，

伊停着工作哭了。

忽又快手地舉起木杵，

(60)

湖 畔

盡力搗那情哥底布衫，

水花四濺起，

伊也撒却伊底悲哀了！

　頹唐的青年，

讓年輕的姑娘只管斟着酒，

一杯一杯地盡情地飲了。

飲到面紅耳熱的醉時，

就伏在那人兒底肩上，

嗚嗚咽咽大哭一場，

他也撒却他底悲哀了！

——漠華，杭州，1922，3，8——

（ 61 ）

湖畔

隱 痛

我心底深處，

開着一朶罪惡的花，

從來沒有給人看見過，

我日日用懺悔的淚灑伊。

月光滿了田野，

我四看寂寥無人，

我捧出那朶花，輕輕地，

給伊浴在月底淒淸的光裏。

——漠華，杭州，

1921；12；16——

（ 62 ）

— 74 —

湖　畔

不幸者們

當我要寫不幸者們的詩時，

我底淚便搶着先來了；

佔據了全紙上，——

我也便不寫了；

我將淚濕遍了的紙兒給人們看，

或者人們會認識罷？

　　這就是不幸者們了。

——雪峯，杭州，1922，2，23——

（62）

湖 畔

兩個小孩

一個賣花生的小孩，

得罪了一個強暴的漢子；

巴掌來了，

從強漢底手裏；

小孩却默默地受着，

而且微笑着。

第二個巴掌又來了，

小孩還是默默地受着，

而且微笑着。

於是強漢表示得勝的樣子，

揚揚地過去了。

我當時心裏覺得很不忍；

(64)

但繼而思之便很快樂了，

因爲小孩已知道人生底眞義了。

小孩在馬路旁邊頑耍，

將許多的玩具都排在地上。

我走過那裏，

粗莽地把他踏碎一個泥人兒；

他却笑着說，"不要緊，不要緊。"

我願意賠他，

我取出銅子給他；

但他却不受銅子拿着玩具跑開了，

而且笑着嚷道，"不要你賠的呵！"

我當時覺得很慚愧，

但繼而思之便很快樂了，

（ 65 ）

湖　畔

因爲他已知道人生底眞義了。

——雪峯，杭州，

1922，3，28——

湖　畔

心　愛

我只要怒放的花兒；

那紅潤的果子

於我有什麼用處！

詩也心愛，

畫也心愛，

琴也何嘗不心愛呢？

"這麼頑皮好弄的小孩兒呵！"

——修人，上海，1922，1，23——

（57）

湖 畔

落 花

片片的落花，儘隨着流水流去。

流水呀！

你好好地流罷。

你流到我家底門前時，

請給幾片我底媽；——

戴在伊底頭上，

於是伊底白頭髮可以遮了一些了。

(68)

湖　畔

請給幾片我底姊；——

貼在伊底兩耳旁，

也許伊照鏡時可以開個青春的笑呵。

還請你給幾片那人兒；——

那人兒你認識麼？

伊底臉上是時常有淚的。

　　　　　——雪峯，杭州，

　　　　　　　　1922，3，10——

（69）

湖　畔

小小兒的請求

不能求響雷和閃電底歸去，

　只願雨兒不要來了；

不能求雨兒不來，

　只願風兒停停吧！

再不能停停風兒呢，

　就請綏和地輕吹；

倘然要決意狂吹呢，

　請不要吹到錢塘江以南。

錢塘江以南也不妨，

　但不吹到我底家鄉；

(50)

湖　畔

還不妨吹到我家，

千萬請不要吹醒我底媽媽，

——我微笑地睡着的媽媽！

媽媽醒了，

伊底心就會飛到我底船上來，

風浪驚痛了伊底心，

怕一夜伊也不想再睡了。

縮之又縮的這個小小兒的請求，

總該許我了，

天呀？

——修人，滬甬航道，船上，1920，9，24——

（71）

湖畔

嘆

（一）

抛下花籃兒笑着去了。

去？

你去；

你儘管去！

看我要采不着花兒了！

看我要提着空的花籃兒歸來了！

（72）

湖 畔

（三）

閉上眼兒裝睡了。

睡？

你睡；

你儘管睡！

看我要調不準琴絃兒了！

看我今夜要給梵婀玲笑了！

——修人，上海，1922，3，8——

湖 畔

廚司們

廚司們都聚着在談笑；

那個剛纔死了妻的

獨自俯着頭兒默默地，

顯然表出他是無神這個了！

————雪峯，杭州，1922，2，25————

(74)

湖　畔

暴風去後

暴風從農人底心裏取了歡笑去了。

浸水的稻穗兒都抽了芽了；

輕織的稻稈兒只孕着些秕子了。

但蚱蜢兒還很高興地飛來飛去，

像有一葉存田，總想食盡了似的。

離開這塊土，原也無才謀活了，

蚱蜢兒，我也不能不憐你們呵！

——修人，慈谿，1920；9；26——

(75)

湖 畔

江之波濤

江樹一步步移到眼底了。

海邊一厄厄拉開天幕了。

一級級我登上六和塔底最高級了！

西湖給月輪山攬入了懷裏嗎？

我移看伊的愛，

贈給錢塘江吧！

錢塘江儘淘淘地怒吼着。

那從海外來的波濤呀！

(76)

————湖 畔————

挾着這悲憤要訴給誰呀？

你們底故鄉呢？

臺灣嗎？

琉球羣島耶？

波濤好雄渾喲！

波濤也好慈愛喲！

看他儘拍着淺灘，

不是他撫慰他底愛兒嗎？

摸摸我懷裏，

（ 77 ）

湖　畔

不曾袋着爸爸給我的信兒。

但不是嵌在心裏，

也何須藏在懷裏呢！

爸爸叫我不要多爬山，

我已爬過南北兩高峯了！

更登上這塔底最高級了！

啊！我要跳入波濤裏去，

給爸爸拍我幾下喲！

——修人，杭州，六和塔，1922，4，4——

（78）

湖畔

麥隴上

藍格子布紮在頭上，

一籃新剪的苜蓿挽在肘兒上，

伊只這麼着

走在朝陽影裏的麥隴上。

——修人，楊樹浦，1922，3，26，晨——

（ 79 ）

湖　畔

小詩三

偏偏不許我沒有煩悶的長夜呵！

——汪靜之，杭州，

1922，2，6——

湖畔

小詩四

沒有主人管束的
自在地在空中遊蕩的灰塵呵！

——汪靜之，杭州，1922，2，6——

（81）

湖畔

離家

我底衫袖破了，

我母親坐着替我補綴。

伊針針引着紗線，

却將伊底悲苦也縫了進去。

我底頭髮太散亂了，

姊姊說這樣出外去不大好看，

也要惹人家底討厭；

伊拿了頭梳來替我梳理，

後來却也將伊底悲苦梳了進去。

我們離家上了旅路，

走到夕陽傍山紅的時候，

哥哥說我走得太遲遲了，

(82)

湖　畔

將要走不盡預定的行程；

他伸手牽着我走。

但他底悲苦，

又從他微微顫跳的手掌心傳給我了。

　　現在，就是碧草紅雲的現在呵！

離家已有六百多里路。

母親底悲苦，從衣縫裏出來；

姊姊底悲苦，從頭髮裏出來；

哥哥底悲苦，從手掌心裏出來：

他們結成一個縝密的悲苦的網，

將我整個網着在那兒了！

　　——漠華，杭州，1922，3，10——

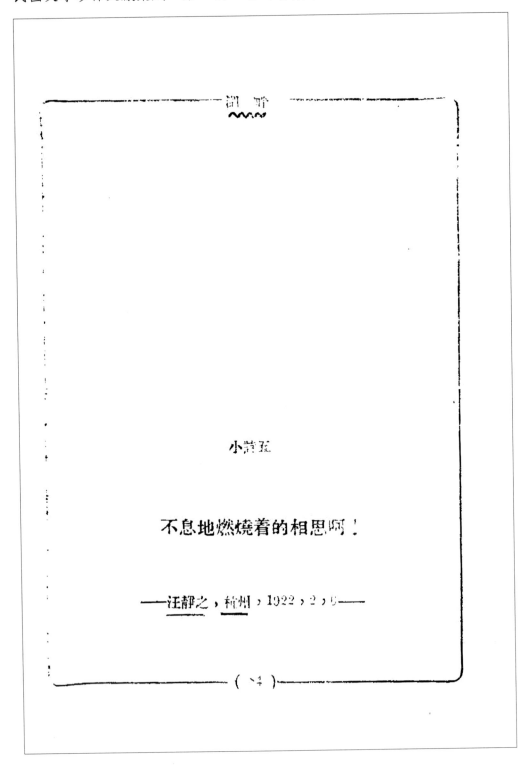

小詩五

不息地燃燒着的相思啊！

——汪靜之，杭州，1922，2，5——

（ 四 ）

湖　畔

小詩六

"花呀，花呀，別怕罷，"

我慰着暴風猛雨裏哭了的花，

"花呀，花呀，別怕罷！"

——汪靜之，杭州，1922，3，26——

湖 畔

我不知

我不知你待我已怎樣了，

只知道我一天不能不讀你底信了。

你所貽的，都是我所喜的；

你所求的，又都是我要給你的。

這樣難得相見，

也勝於天天見面了。

我不敢愁，

恐以我底愁牽引起你底愁；

湖畔

我不敢死，

恐將你底死犧牲在我底死：

叫我怎樣，

我便怎樣做，

我依你快樂——

我已快樂許多了。

但你怎樣慰我底心，

怎樣爲我底生而奮進呢，

哥哥？

——修人，上海，1921，5，19——

（87）

湖 畔

幽 怨

伊長日坐在房中哭泣，

羣鳥怪好意的

唱起歌兒安慰伊。

伊反妒恨他們，

"你們倒有翼子，我怎樣？"

伊用長竿逐鳥兒，

鳥兒去了，

只膡有靜寂和悲哀。

——雪峯, 杭州, 1921,12,4——

湖畔

歸　家

我想戴着假面具，

匆匆地跑到母親面前；

我不妨流我底淚在裏面，

伊可以看見而暫時的大笑了。

——漠華，宜平，

1922，1，5——

（ 63 ）

湖 畔

想 念

我在大霧的早晨，

在認真的糊塗裏，

就愛上那朵花了。

我隨手摘了來，

我臉上湧出美愛的微笑；

聚起我手裏底喜悅，

　　足裏底喜悅，

　　眼裏底喜悅，

　　髮裏底喜悅，

(9)

湖 畔

一切我身上底喜悅、

恨不得都一齊擱在那朵花底心裏。

我捧了伊囘得房來，

插伊在書桌上底瓶裏。

讀一囘書，作一囘字；

我沉思裏向伊美愛的看着，

伊微笑了，——差了，

伊嬌小的心裏，經不起這麽多的喜悅了！

伊伴我讀書，伊伴我作字。

(91)

湖 畔

一天又一天，

伊底葉漸漸枯去了。

一天又一天，

伊也漸漸憔悴去，——抖着，將謝了！

我向伊惜別的微紅的面上，

盡情灑上山泉般的眼淚。

我看伊微弱地向我招搖，

後來終於凝視着我而逝了！

我於是潛聲飲泣，

聚起我手裏底悲哀，

　　足裏底悲哀，

(92)

湖　畔

眼裏底悲哀，

髪裏底悲哀，

一切我身上底悲哀，

都一齊伴伊埋在黃土裏去！

——漠華，杭州，1921，11，17——

湖畔

伊 在

（一）

伊在塘埠上浣衣，

我便到那裏洗澡。

伊底淚洒溼了我底衣，

說洒溼了好把伊洗。

伊以伊底心洗在我底衣裏，

我穿了好像針刺着——

刺到我底心底最深處。

（二）

一天伊在一塊地上删菽，

我便到那裏尋牛食草。

（ 94 ）

湖　畔

伊以伊底手帕揩我底汗，

於是伊底眼病就傳染我了，

此後我底眼也常常要流淚了。

（三）

人們淚越流得多，

天公雪便越落得大。

我和伊去玩雪，想做個雪人，

但雪經我們的一走，

便如火燒般地融消了。

我們眞熱呵！

——雪峯, 杭州, 1921,12,7——

（95）

湖　畔

忘　情

伊死已六年了。

伊沒有認識我，

只知道我底名兒；

可是我每次過伊墓前時，

我底潔白的心兒，

就給一縷悲哀的情絲，

纏在伊墓頭青草上了！

——漠華，杭州，1921，12，16——

(96)

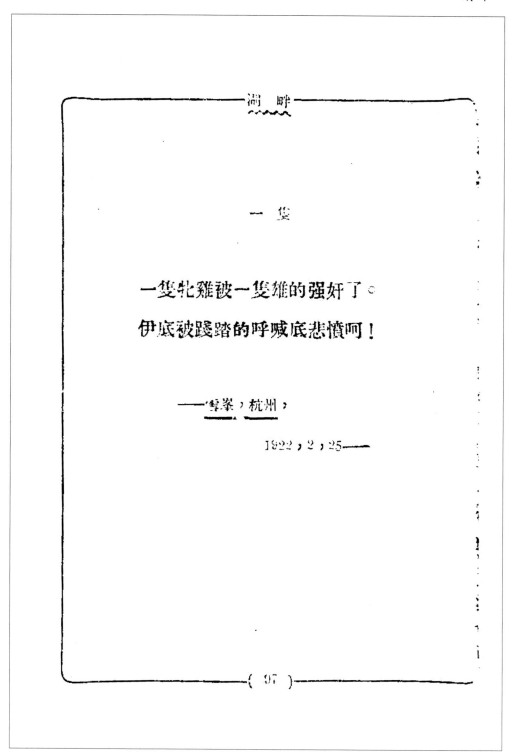

湖　畔

一　隻

一隻牝雞被一隻雄的强奸了。
伊底被踐踏的呼喊底悲憤呵！

　　　　——寄鋒，杭州，

　　　　　　1922，2，25——

〔97〕

湖畔

心愛的

逛心愛的湖山，定要帶着心愛的詩集的。

柳絲嬌舞時我想讀靜之底詩了；

睛風亂颭時我想讀雪峯底詩了；

花片紛飛時我想讀漠華底詩了。

漠華的使我苦笑；

雪峯的使我心笑；

靜之的使我微笑。

(93)

湖 畔

我不忍不讀靜之底詩；

我不能不讀雪峯底詩；

我不敢不讀漠華底詩。

有心愛的詩集，終要讀在心愛的湖山的。

——修人，西湖，1922，4，1——

湖 畔

送橘子

我送一個橘子給撐篙的小弟弟；

　他笑着擲到艙下，

　又從艙裏取起來

　笑着剝着喫了。

再送一個給搖櫓的老婆婆；

　伊鄭重地說，"多謝；多謝！"

——修人，太湖渡船裏，1922，2，5——

（119）

一九二二年四月編成
一九二二年四月初版

湖畔詩集第一

湖　畔

湖畔詩社出版

實價二角

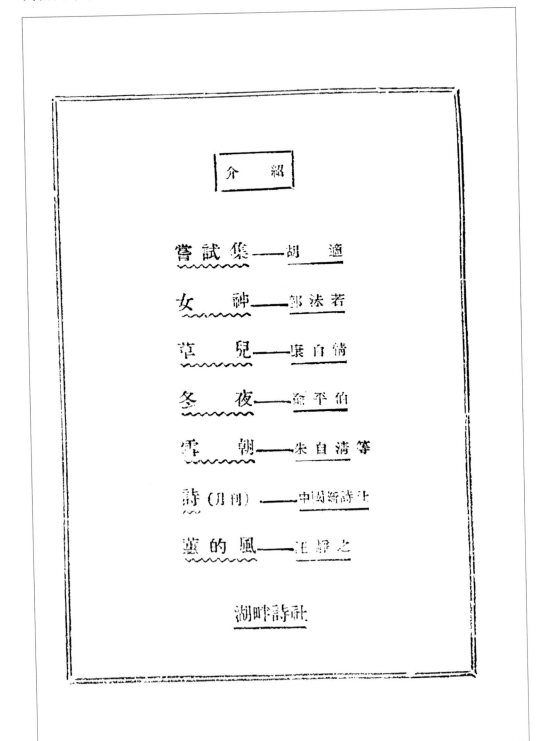

春的歌集

雪峰等　著

湖畔詩社（杭州）一九二三年十二月出版。原書四十開。

春的歌集

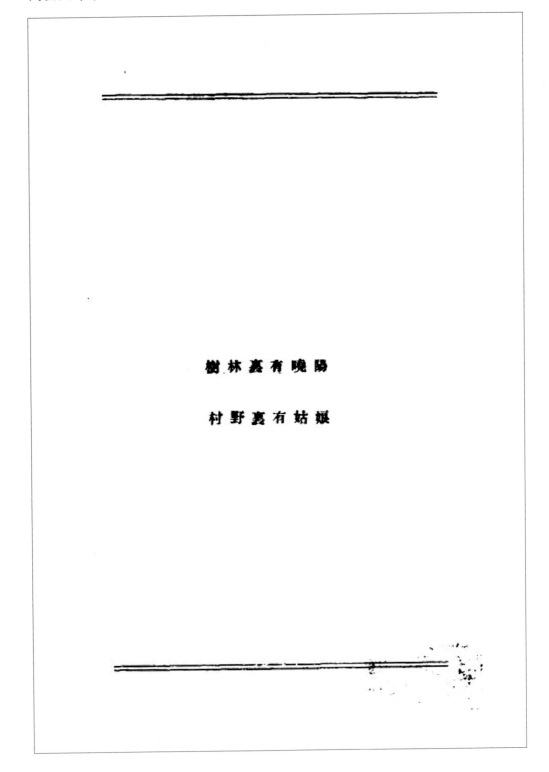

樹林裏有晚陽

村野裏有姑娘

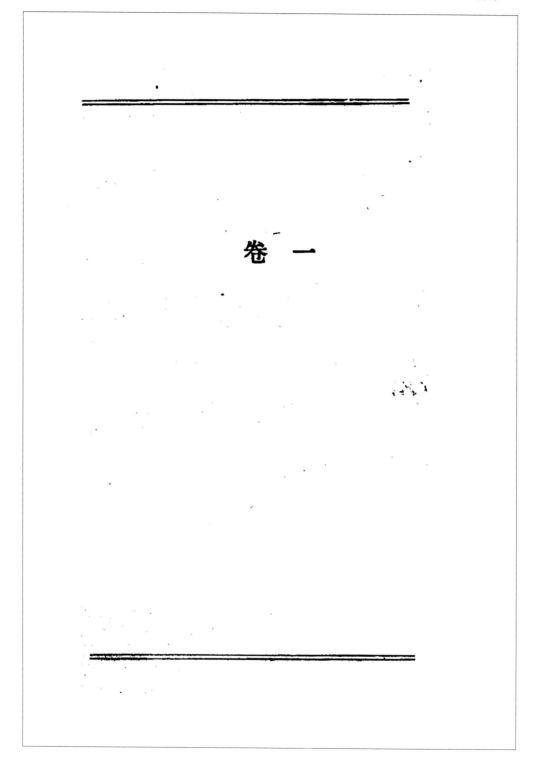

卷 一

春 的 歌 集

有水下山來

有水下山來，

　　道經你家田裏；

牠必留下浮來的紅葉，

　　然後牠流去。

有人下山來，

　　道經你們家裏；

他必贈送你一把山花，

　　然後他歸去。

春 的 歌 集

拾首春的歌

（一）

昨夜夢到她，

今朝被鷓鴣叫醒了，

我罵了鷓鴣又自悔，

還道是她叫牠來的呵。

（二）

東邊太陽西邊雨，

鷓鴣喚得更急了；

遙望你底家在朝霧的山下，

春 的 歌 集

攀了楊柳，捏了一把楊柳淚。

（三）

我走上了橋來，

在水裏我知道我瘦了；

實在沒有你在旁邊，

所以『你又瘦了』『你又瘦了』

　的聲音也聽不見了。

（四）

昨天遊了一天春，

今天却悔了——

春 的 歌 集

不該對那酒攤上的女郎，

說那回來喝呀，回來喝呀，的謊

話呵！

㊄

路旁折了一枝李花來，

夕陽裏看去是眞美潔呀！美潔呀！

燈光底下却模糊不清地，

豈不是因我底眼胞含着眼淚嗎？

㊅

月夜裏夜行眞不便，

卷一　頁四

春 的 歌 集

柳蔭也太疎得遮不下人影了；

郎郎郎郎地喚着的狗呵，

當眞一點情面沒有嗎？

㈦

每天的夜裏，

我也並不希望別的，

我只要我丟手在空中——

在不知的空中會觸着你底手。

㈧

沒有一株楊柳不爲李花而顚狂，

春 的 歌 集

沒有一水不爲東風吹皺，

沒有一個戀人

不爲戀人惱着。

（九）

何處的種田鳥又登登地叫着了，

春是去得遠了，遠了；

送春去的風兒也要同來吧，

我又增了一層想念春的相思了。

（十）

無緒的懊惱，

卷一 頁六

絆得我倒在床上了，

却連母親也不寬諒我，

說這回的落床又是爲女人。

春 的 歌 集

你縱不能為我而停工作

當我在溪邊遊浪而你在搗衣的時候，

你縱不能為我而停工作，

還請你底木杵舉得高些，

聲音敲得響些：

因為這是一種暗示：

我自己會懂得。

當夜裏我走過你底窗下的時候，

請你點着你底燈亮，

春 的 歌 集

你縱不能留我宿，

還請你搖幾搖你底燈光：

這是一種暗示，

誰也不會知道。

我們在聚集中彼此看見的時候，

你雖不好叫聲我，

却請你多皺幾下眉，

多橫幾個秋波給我：

因為我底心很玲瓏，

接着你底情愛而能使人不知道。

春 的 歌 集

願良人早點歸來

烘烘的雷聲，

在我屋頂上作響，——

這時候，良人，你好狠心，

你丟我一人在家。

我不忍奪回乳頭從兒子嘴裏，

因他底嘴若空了，他便哭着叫爸爸；

我又急着，

看臥在山脚的乾柴和乾草，

我若不去束家來，便要給雨打溼。

你不在家，誰幫我忙？

良人，願你早點歸來！

卷一　頁一〇

烘烘的雷聲，

快要催出雨來了，

良人不在家，

我和一隻小羊沒有兩樣，

我縮作一團，沒有一刻不顫抖！

我願這雨的時候，

良人長在家裏，

那給風吹倒的豆藤，會有人去扶起，

給雨打落在路旁的麥穗，

也會有人去拾起。

我願當雨時，在綠的稻田中，

有個穿蓑衣的農夫向我歸來，

因我看見他，我便胆大，我便快樂。

呵，良人，願你早點歸來！

春 的 歌 集

雨是過了，雲是消了，

藍藍的天空，抹了些紅霞，

鵲鳥從林裏飛出，飛到原上歌下，

山水發到田裏，

高田的水又溢到低田。

良人，我對你發誓，

這時，這山下只有一份農家，

這農家只有一個婦人，

到黃昏屋頂上也沒有火烟發起，

她只抱一個小兒久立門口，

她向山兒，水兒，以及過路的人兒

　　說盡她心願，

她說，願良人早點歸來！

春 的 歌 集

山裏的小詩

鳥兒出山去的時候，

我以一片花瓣放在牠嘴裏，

告訴那住在谷口的女郎，

說山裏的花已開了。

春 的 歌 集

這深山中只她一個人

這深山中只她一個人，
她一個人在霧中奔逐，
她愛人從早上即出來，
她不知道到哪兒去尋找。

她忽然驚呼了，
却是一個打獵的少年在霧中問她：
『女郎，女郎，
這裏可有麋鹿跑過？』

卷一 頁一四

春 的 歌 集

她聽得是他，她便回答他：
　『有呵，有呵，獵人！
　這裏有一個雌的，美的，
　她滿身帶着麝香的。』

她聽得是他，她便回答他：
　『有呵，有呵，獵人！
　這裏有一個雌的，美的，
　她帶着麝香引誘你。』

老三底病

烏兒叫着，

太陽從東方出來。

老三底爸媽，

打鑼打鼓地忙着尋醫生；

可是總醫不好老三底病。

老實說，

醫生是戴着野花在塘邊浣衣服呀。

烏兒叫着，

太陽走到了天中央。

老三底爸媽，

春 的 歌 集

打鑼打鼓地忙着尋醫生；

打鑼打鼓地忙着尋醫生；

可是總醫不好老三底病。

老寶說，

醫生是戴着野花在山上摘茶葉呀。

鳥兒叫着，

太陽溜到了西山。

老三底可憐的爸媽，

打鑼打鼓地忙着尋醫生；

老三底病却更壞了。

老寶說，

醫生是坐轎抬出村去的新嫁娘呀。

卷一 頁一七

日影已在山崗飛去

——或名「路情」——

晚風已飄來這山下的人家，

日影已在山崗飛去；

一個少年，一個少年的過客，

在這山脚下了馬。

『好呀！好個給我宿息的所在呀，

我底馬也倦了！

那邊的天上紅霞兒不止地飛遊；

那邊樹下的少婦猶在紡紗。』

春 的 歌 集

一株蒼老的松樹，

　　　他底馬，過客底馬好繫了。

他走近那紡車，主婦底紡車；

　　　紡車兒停了。

『我們這裏是借宿不來的！』

　　　主婦重把紡車兒搖起；

『我們這裏是借宿不來的！』

　　　主婦重又把紡車兒搖起。

春 的 歌 集

晚風已飄來這山下的人家，

　　日影已在山崗飛去；

紅霞兒不止地在天上飛遊，

　　『我們這裏是借宿不來的！』

馬韁兒解了，

　　『再見吧，蒼老的松樹！』

困倦的馬鞭舉了，

　　『再見吧，山家的主婦！』

卷‧‧頁二〇

獵　人

紅日登山的時候，

他負起弓兒出遊；

乘着輕風駕上箭，

飛呀，飛呀，

空天中的蒼鳥！

落日燒林的時候，

他吊着古劍歸去；

劍兒拖地錚錚響，

接呀，接呀，

掃落葉的少婦！

春 的 歌 集

被拒絕者底墓歌

他死了，人把他葬在山裏，

連他底幽恨葬在一起。

小山底脚下，靠着衰林，

是他底坟兒，低低的。

他底愛情未曾死；

也有春風在墓頭吹來蕩去。

只是那無情的樵女們

清麗的歌聲，却總隔着林兒的。

春 的 歌 集

果有一天，他以未死的愛情，

在墓上開放爛漫的花；

春風吹送出迷人的幽香，

他不能忘情的姑娘會重新誘上。

等她姍姍地步來摘花的時候，

花刺兒已把她底裙裳鉤住了。

呵，他將鉤住不放，

等她裳已愧懊了。

賣花少女

她蓬散的頭髮戴不牢花兒，

一朵山蘭花挾在耳旁邊；

她褲脚兒高捲着，

全露赤她唇紅的脚脛和脚掌。

一邊挽着花籃兒，輕輕的，

一邊唱着小歌兒，冷冷的；

市巷街頭將從此有春了，

你那紅脚底兒踏過去。

春 的 歌 集

人間將從此有春了，

你不用在那兒久留；

完了花兒卽便囘來呀！

山上的哥哥要想望呀！

春 的 歌 集

雨後的蚯蚓

出了茶店，過了雨路，又進了酒店。

我不願築新坟在自己的心頭。

雨後蚯蚓般的蠕動，是我生底調子。

我底寂默！寂默是無邊，悲哀是無邊。

願海潮是我身底背景，火山是我身底葬地。

雨溼了相思的路？我底愛人！我底愛人！

春 的 歌 集

掇　拾

西風一夜撼松林，

滿地都落滿了黃柯，

老的幼的婆娘兒女，

彎躬在那兒掇拾。

昨天遊了老當山，

一路是松黃楓紅，

摸遍了路旁的坟碑，

歸來帶得兩個不知名的果壳。

黎明在湧金門外

假使那番鴨會飛，

我將託他寄封信，

寄往畈滿豆花的南鄉：

『慈愛的母親，

在今天秋寒的黎明，

你兒又在此地認識了一位朋友，

他是立在近岸的浮草中，

用個方網捕蝦的老人。』

————一九二二年十月三日

念姊姊

姊姊，放去你手已三朝晚，

但我心頭却仍是有個凹；

東西南北雲封起，

終掩不去我天心一缺喃！

只知道你是無言，

誰知你用手心達意？

風息雨止天靜默了，

又誰知你靜默中茹苦含辛呀！

春 的 歌 集

夜

我底心像個黑夜：

滿天星在流隕，

一林柯葉微語，

秋神也在曼吟而遲步。

我底心像個黑夜：

愛人枕腕在夢，

母親捲自己的袖，揩自己的淚；

還有一座白坟，

坟前溪水正在低流，

那就是我父親底白坟。

卷一 頁三〇

春 的 歌 集

小詩兩首

（一）

我願望我底心，

是睡在深山的紅葉，

聽聽風雨呻唔過枝頭，

看看女郎採樵淚亂流。

（二）

冬天下灰色的斑鳩：

循着石鋪的白道，

在綠蔭蔭的樹下哭過去。

哭過去的斑鳩已遠了，

但他哀哀的哭聲，

還縈繞在那樹蔭下，

還平鋪在那石道上。

春的歌集

悵惘

伊有一串串的話兒，

想掛在伊底眼角傳給我。

伊看着青天上的白雁兒，

想倩他銜了伊底心傳給我。

眼梢彎了，掛不住；

白雁兒遠了，不能飛回：

伊於是只有堆伊底憂慮，

在伊四披的烏髮上了。

卷一　頁三三

月　夜

不用淚漣漣了，

不用帕兒頻揩了，

踏月華歸去，去，

莫追踪妹妹底夢跡！

長留亦無終結，

長迷離亦無歸宿；

夜露溼透你肩了，

消熄去心頭夢痕。

立在月下，月不知，

想念妹呀妹不知！

憑夜空碧紙，用無墨的文字，

盡遍妹妹底小名。

春 的 歌 集

新 坟

探花的人去了，

髮影裳影都遠了，

遺下一朵蓓蕾在那樹跟。

我憐伊是被遺棄的，

將伊用黃土掩上，

伊底苦命就完了。

我回頭緪望那新坟。

春 的 歌 集

一步一步走近我家門。

我不願將這新坟築在我心頭；

可是樹梢的殘陽會笑，

那簷頭的秋風會歌，

插在那新坟上的青草會俯仰的拜：

眨眼看時，側耳聽時，

我就滿懷都是悽愴呀！

——一九二二年三月十四日。

春 的 歌 集

月　光

月光撒滿了山野，

我在樹蔭下的草地上，

躑躅，徘徊，延佇；

我數數往還於伊底來路，

想着飛蓬的髮兒，

將要披在伊底額上看見了。

我心兒慌急，

春 的 歌 集

夜風吹開我衣裳。

月兒光光了，

這使我失望了，

伊被荊棘掛住伊底衣了。

我垂着頭兒，

噙着淚珠，

雙手襄着裳兒，

踏過茂草，

將月光也踏碎了。

卷一頁三九

春 的 歌 集

我跑到溪邊，

睜大我底眼眶，

盡情落下我底眼淚，

給伊們隨水流去；

明天流經伊底門前時，

值伊在那兒浣衣；

伊於是可以看見，

我底淚可以滴上伊底心了。

春 的 歌 集

清明底思念

悔呀！真不該說

『人間值不得眷戀』，

清明夢回的枕上，

却眷念得溮淚了！

溼了被頭，溼了枕頭，

手帕可在淚水裏浣了，

却終不能浮去我底身，

汪汪的淚水，不能達到我故鄉。

尋幷州的剪子，

剪斷滿山的紅杜鵑，

春 的 歌 集

剪去人間有清明，

剪去我心野底亂麻。

縛成花圈無處拋，

翠葉烏亦無頭可去插，

放在案頭吧，讓我底心兒

跟着花圈轉，尾着那烏兒飛迴。

——一九二三，四，六。

春 的 歌 集

秋末之夜

月光稀白的夜下，

沙地上輕步地徘徊。

淒迷的百草叢裏，

蟋蟀鳴出剩殘的秋意。

寂寞淒涼的心底，

輕不住月光底寒暉，

當不起秋蟲底酸鳴，

也流出無限的悲哀。

憶起死父坟頭底青草，

故鄉母親秋夜的傷心；

春 的 歌 集

聽出家居門前水底含咽，

屋頂夜鳥底哀鳴。

垂首掬技殘荷來，

敗葉上起了琤瑽的琴聲。

我已灑出我辛酸的淚，

敲落他殘荷底魂靈。

祈禱

月光茫茫的夜，

他坐在石砌沙鋪的曠場上，

橫起笛兒在吹，

心聲却呢喃的祈禱：

笛聲，我吹去的笛聲，

你飛去，飛過那矮牆，

可落在那人屋頂；

伊現在正在酣睡了，

——左手擱在頭邊，

藍衣的前襟，解開掩在枕上，——

你輕輕地喚醒伊，喚伊出來，

說，夜是如此美麗的夜，

月兒皎皎的照臨，是待我們底夜行，

我們去，我們去，

我們去到舊日坐過的草坪，

共流久別重逢的欣慰的淚。

黑沉沉的深夜，

他還在那人門前來囘的走着，

心中，是不絕聲聲地祈禱：

脚聲，我輕妙的脚聲，

你飛進去，飛近我那人底身邊，

春 的 歌 集

你告語伊，——

伊此時或正在寂坐，

或正在默然的念我，——

說，在你門前來囘的走着，

今夜是第七夜了，

這囘是今夜底第九囘了，

他望不得你出來，

他將會走到天明，

明夜也仍將會走到天明，

後夜也仍將會走到天明，

他將會永遠的每夜都走到天明，

你痴心可憐的情人！

病中得朋友贈杜鵑

色已慘紅的三朵杜鵑！

我夢到夜泣西風的少婦，

我夢到天上溜出人間的春

我夢到散髮迴舞的仙女。

色已慘紅的三朵杜鵑！

我哭泣去秋的木樨，

我哭泣今年落去的梨花，

我哭泣我心花底低垂呀！

月白的夜

前夜夢境回來，

彷彿是在故鄉，

我就披衣下床，

想走去聽我母親——

那每夜的長歎息。

但匆匆走到庭前時，

望得月夜是白的，

知道我是留在客地，

『故鄉！故鄉是在六百里外！』

頹然地泣淚了。

含淚向微瞳的天星，

訴說我心頭一般的話。

春 的 歡 愁

昨夜夢境回來，

又彷彿是在故鄉，

我就披衣下床，

想去看那正在熱病的姊姊。

但匆匆走到庭前時，

望得月夜是白的，

知道我仍留在客地，

『故鄉！故鄉是在六百里外！』

又頹然地泣淚了。

含淚向微曜的天星，

重訴說我心頭一般的話。

春 的 歌 集

再 生

我想在我底心野，

再擱攏荒草與枯枝，

寥廓蒼茫的天宇下，

重新燒起幾堆野火。

我想在將天明的我的生命，

再吹起我嘹喨的畫角，

重招攏滿天的星，

重畫出滿天的雲彩。

我想停唱我底挽歌，

想在我底挽歌內，

完全消失去我自己，

也完全再生我自己。

春 的 歌 集

夜 梆

夜梆柝柝地響了，

我心潮微微地掀湧。

聽不清夜梆響聲底意味，

數不盡我心潮底波尖。

晨角清澈地吹了，

春 的 歌 集

　　我心靈又輕越地飄盪。

　　不忍聽的是晨角底嗚咽，

　　走不盡的是我心徑底迂縈。

　　晚風呢喃地歌了，

　　我心琴又緊翁地張弛。

　　晚風底歌是楚淒，

　　我心琴底彈奏是苦悲。

春 的 歌 集

問美麗的姑娘

晚天扯破了雲裳，

美麗的姑娘，你告訴我，

織女將織些錦霞來補去。

夜半天星崩頹了一角，

美麗的姑娘，你告訴我，

那地上陰森寒的叢林下，

鬼火將飛蓬蓬的昇上來補去。

　假使我扯破我底網呢，

那網內是放着我一切美麗的夢，

日的夢，夜的夢，

太陽正當午時的夢；

美麗的姑娘，你告訴我，

我將採擷些什麽來補呢？

冬夜下

讀着朋友底詩，

翻着亘古的畫，

喝着紅萄的酒，

讀一句，翻一幅，喝一杯，

淚也一滴一滴的流。

讀完朋友底詩，

翻完亘古的畫，

喝完紅萄的酒；

葬悲哀在詩底末句，

葬悲哀在畫底末幅，

葬悲哀在酒底末滴。

春 的 歌 集

靈魂底飛越一

去吧，飛往故鄉去來。

繞愛人底屋前屋後，

迴顧他向西的窗戶，

告訴伊，我在杭州是病呀！

去吻母親底脚，

去吻母親底手，

去牽動伊底前後裙，

放我病裏的幻花在伊夢裏呀。

隨着笛聲飛去，

隨着荒涼的胡歌飛去，

春 的 歌 集

裝我一大袋輾轉床蓆的淚，

橫盧飛向故鄉去呀！

去吧，橫過鳳凰山前，

掠桐江而上，溯婺川，

趁熟路飛越呀，

又度過萬點的亂山。

去吧，向南鄉去吧！

病中的焦急呵，病中的憂慮呵！

萬點殘花一齊飄零了，

滿天白雪齊紛飛了。

靈魂底飛越二

我離軀殼而飛越了，

朝發自夜湖之濱，

暮遲於我生前的南鄉，

夜則敲我家母底胸門。

我難告訴伊呀，我是死了！

死淚已塞住向生母開的口。

我不願我母知道呀，

伊將喪失伊底心，而至於病狂的呵！

借庭前的桂花樹，

來曼吟我死者底歌，

將歌出茫茫蒼蒼的大野，

母親將抱不到你愛兒了！

　　生前的恩愛呀，

死後都不堪思維了。

飛越上西山森林顛，

化作杜鵑安慰母親去！

　　輕輕按按母親底夢呀，

盡我死者底心血，

平舒的鋪排，江南底錦繡般，

在那兒浩歌我蒼涼的鬼曲。

春 的 歌 集

西門外墓地

跟蹤在不識者們底墓地，

俯俯仰仰在他們底墓前，

摘些草花，撮起些黃土，

裊裊拈起我底心香。

用我底言辭，

絮絮地告語你們，

地下長眠罷，永不再做你底夢，

捨去你生前一切的留連。

春 的 歌 集

你們當有在戰場死的，
那就在橫屍飛肉的當中，
血和淚交流的時候，
任罡風吹去你底好夢吧！

你們當有在愛者底懷中死的，
那就當他們滿淚的時候，
你就死訣了他們，
同時也永忘去他們吧！

你們也許有異鄉的孤客，
給異鄉的人們，潦草埋葬在此。

春 的 歌 集

今清明了，舊恨呀新戀，
當翻覆上你死者底心頭！

朋友！那就放下吧，
此地有綠楊春風底悲語，
有無家的人在蹀躞，
重新葬你，重新哭你呀！

你們也許有年稚的姑娘，
生前得不斷的家人的愛，
你就帶了你清白的身，
重返你底黃泉去！

那，就裹起你底愛吧，

夜來浴在月光中，

朝來舞在晨風中，

你可朝夜含淚的曼歌。

死者們！風雨淒咽的朝上，

夜半清風明月滿墓時，

我再來聽你們底鬼哭了，

我再來聽你們底鬼哭了！

————一九二三，四，五。

將歸故里

母親，我將歸故里。

門前的石路上，

我將來慢慢地踱，輕輕地步；

我將消滅笑淚與生死，

我將坦步歸我故里。

母親，我將歸故里。

山嵐橫虛的黃昏，

夜雲低漫的三更，

我將瞑目坐在我們家底屋角，

倚着你底身邊，

絮絮話逑我兒底夢：

話到歡樂時，我固是喜笑；

話到悲苦時，想起母親是在身邊，

我將也含淚而淒笑。

母親，我將歸故里。

我將披散頭髮，

抱着我骸骨鑄成的琵琶，

心火蓬蓬地飛發時，

朝朝的黎明，或是夜夜的夜後，

我將猖狂的揚舞，

我將琵琶不停地狂奏；

奏出我外出的悲哀，

奏出我歸來的狂謾。

母親，我將歸故里。

前山森林裏，鬼火忽隱忽現時，

母親，你看見，當是我底歸魂；

夜風扣我們家底門環時，

母親，你聽見，也當是我底歸魂；

母親，但或留或不留，

夜風鬼火都不知道。

春 的 歌 集

母親，我將歸故里。

你交給滿擔給我負擔，

你隕落我在荒涼的原上；

我現在實已疲敗了，

我將歸來，放下擔在你底身邊，

然後奔入你底懷中，

我將瞑目掩耳，斬斷我底心絃，

在你底懷中，尋到我生命底安眠。

春 的 歌 集

呈母親前

母親！母親！

將我們底沈默，

作秋夜下的安慰。

當我說到──

『每夜都是爬山虎，

──我思父的魂靈，

夜夜都爬到那鳥柏樹下

寂寞長眠的墓頭』時，

你是怎樣的驚慌呀！

春 的 歌 集

萬念俱滅

秋山不登也好，

免得在山坡墳堆間，

空躑躅在紅葉上。

· · · · · · · · · · · · · · ·

· · · · · · · · · · ·

· · · · · · · · · · · · · · ·

毀　滅

山野有紅花開得鬧，

河涯有雙雙翡翠舞，

心只留連於死之原呀，

放我魂到死原底陰涼去！

陰風吹動山與谷，

鷗鵠翻作鬼聲唳！

魂靈底徬徨呀！徬徨呀！

在生與死底分野。

春 的 歌 集

不想再在街上鬼混了，

乞丐般的生涯有些無奈，

做自由狂浪的鬼魂去，

扯毀我生披身的華裳！

春光是寒灰得打噤，

手指足尖都顫彈了。

凍風與冰海底囈語呀，

我來探尋死滅底信息！

踏碎嫵媚的花蕾去，

斬穿壁上的胡琴，折斷洞簫，

折斷洞簫當柴焚去，

摧殘去我心野底春草！

我將無所縈戀了！

我將乘罡風，揮斜陽的鞭，

躍上雄馬底銀鞍，隨我血底噴濺，

向馬首所指的方向，去！去！

春 的 歌 編

雨　後

知友！夜雨後的小巷頭，

我倆在走，你握住我手。

握握緊些吧，浪遊而浪遊，

留戀在合街睡前的無俚！

掇夜華回去，追淹沒的星，

讓我倆衣襟留些雨斑；

長漫的雨夜，我倆呀，

春 的 歌 集

何能捨去迢遞的雨聲不聽？

那能平安去睡地安行？

我倆不家去呢？

我倆不家去呢？

那就跟腳底南北走吧！

天會明，東方會放皓，

那裏又非可，我們底停留？

簷頭斷續雨聲可數，

遠遠行者步聲可作琴音聽；

灰色的夜情雨意裏，

可遣瘦弄人的運命。

夜更深了，夜的靜海裏，

到處都游浮着睡人底鼾聲，

磬般敲着是我們底鞋聲；

我們已途過淒涼的夜雨，知友！

再途斷雨後長漫的夜吧。

春 的 歌 集

生命上深刻的一痕

那年離去永嘉時，

我是殘宵般的頹喪了！

在那城西門底一角，

我是眷戀了一位女人呵。

我對於伊的眷戀呵，

彷彿我對於母親的眷戀，

彷彿我對於乞丐的眷戀，

卷一　頁七七

彷彿我對於兄弟姊妹的眷戀。

灰色的衣衫走進我房裏來，

立在几前怔怔地覷覷我，

知道我是良善的君子，

噙淚絮絮地話了。

伊是啊，我不忍寫，

莫有爺娘，也莫有名義上的丈夫，

只有一位行商的哥哥，

春 的 歌 集

有的是伊顛連無告的孤身。

伊告訴我那年伊是十八歲，

告訴我過來的流蕩的生涯，

灑在花前月後的辛淚，

經歷過狂波苦海裏的顛簸，

伊曾幾次被人兒騙了，

一時的失足，幾次賣去魂靈；

幾次有人親密地娶娶伊，

但去後却總不見回來了。

有容易被人愛悅的朝晚，

更有容易被人捨棄的朝晚；

幾度把魂靈包起贈與人，

但幾度都可憐的被丟了。

客舍小窗是向冷街開，

伊悲語是不能忍心聽；

幾度想站起替伊拭去淚

春 的 歌 集

幾度都黃連般苦的停止了。

伊是抒不完伊底哀思，

伊是流不竭伊底苦淚；

伊也顧不到是在天涯遊子前，

少說些也少流些。

· · · · ' · · · · · · · · · · · · · · · · · ·

· ·

卷 二

春 的 歌 集

山裏人家

繅些蠶絲來，

　自家織件自家的衣裳；

汲些山泉來，

　自家煎一杯嫩茶自家嘗。

溪外面是李樹擁梅樹，

溪裏面是桑樹領茶樹。

　溪水呀呀地流過伊家底門前，

　伊家是住在那邊的竹園邊。

春 的 歌 集

花蕾 (一九二二年)

姊姊都嫁了，

嫂嫂常怨我：

我已恨煞這淒凊的家了。

攀——藤，披——荆，

你這樣兒愛惜我，

我要和你一起兒歸去了！

這一顆緊鎖的芳心呀，

要爲你，要爲你展開了。

卷二　頁二

春 的 歌 集

鄰 家

向姊姊手裏奪來的木香花，

到門口就摔給了鄰家裏阿慾了。

準備再受姊姊埋怨吧，

只哄伊又踐壞了。

春 的 歌 集

歡愉引

衝乳樣的歡愉每每從心裏噴散來，

每個人，我深深地覺得都可愛。

路上，船上，我遇到人們，

我總默默地熱熱地輸送去我底情意，

總想走近身去握一握手。

有些人會心心相印地酬和我，

有些人會剛像我所要地幫助我，

也會從心地，不禁地，顧我而美笑……

人們明告訴我領受我底情意了，

我就歡愉，歡愉，

歡愉得無往而不歡愉了！

卷二　頁四

春 的 歌 集

也有些人會漠漠地對着，

或者取些冷雋的字眼兒來戲弄着。

這是人們珍藏了我底情意，

要我再添些醲醲的情意去，

我就也歡愉，歡愉，

歡愉得無往而不歡愉了！

——正像你和你小伴並坐花蔭下，

你熱烈烈地要問知一句話，

伊（假使是伊）知只淡淡地

報你淡淡的一笑，

在這一笑裏跳出『你猜！』這樣芳馨的兩

　字來；

那樣的像理像不理：

卷二　二五

春 的 歡 樂

你能怨伊沒情于你嗎？

薔薇底刺刺不傷薔薇葉，

人們于人們也沒有真怨憤，

有人會把假意的怨憤裝扮了，

但我們永不要去認真：

這像你和你小伴並立豆棚邊，

他（假使是他）爭論你不過了，

却牽出你那肥嫩嫩的小手來，

輕輕地打了你兩記小手心；

那樣的又憎又愛，

你會說他是在恨你嗎？──

我也就歡愉，歡愉，

歡愉得無往而不歡愉了！

卷二　頁六

曉清裏我笑迎曉的風，

曉清裏，伊送將新的歡愉來；

晚靜裏我笑迎晚的風，

晚靜裏，伊吹醒舊的歡愉來。

可愛的人生——人生底可愛呀！

沒有一朵花不是柔美而皎清，

沒有一個人底心不像一朵春的花！

春的歌集

溫靜的綠情

也是染着溫靜的綠情的，

那綠樹濃蔭裏流出來的鳥歌聲。

鳥兒樹裏曼吟；

鴨兒水塘邊徘徊；

狗兒在門口摸眼睛；

小貓兒窗門口打瞌睡。

人呢？——

還是去鋤早田了，

還是在炊早飯呢？

蒲花架上綠葉裏一閃一閃的，

原來是來偷露水喫的

紅紅的小蜻蜓！

春 的 歌 集

民　謠

綠樹裏——人；

綠枝上——書；

綠葉裏跳下

一粒兩粒露珠。

葉外是嫩霞浮，

枝梢有淡月鈎：

輕輕細吟，

原只許伊們聽。

北郊寄鄉遊

慢慢天邊生暮靄。

四郊都是綠，

歸路難猜；

橋邊牧牛兒含笑謝，

「我也是別村來。」

春 的 歌 集

晚 上

藤葉掛門前，

秋水塘邊。

削草歸來息也沒息過，

就奪了囡囡去，

去到樹下坐。

鮮豆兒滿碗。

竹筷兒兩雙。

扯下頭布兒揮揮灰；

且不先叫他嘗，

趁他抱在懷裏時，

親親囡囡嘴。

粉　牆

颶風一夜吹，

粉牆變了顴堆。

却見鄰家竹籬笆——

垂垂綠葉裏，

開滿了牽牛花。

春 的 歌 集

中秋海邊夜

海波拂天空；

天空淨沒有半點雲。

滿掬月華我醉了，

睡看萬里脆藍。——

哦，綵環中間的一片冰！

皎皎泠泠又盈盈，

直是我友底一顆心。

春 的 歌 集

讀工人綏惠略夫

鮮血濺進我脆弱的心，

呵，我要看一看你不瞑的

淺黑的鋼鐵色的眼睛！

絞架，發狂，或生活，在你是同樣，

——等候…等候，在哪裏是第二個人？

你只是憐憫，你只是愛，

俄國式的綏惠略夫！

你全生命沒有憎過一點。

我要狂叫你回來，回來！

可惜你底理莎——已是不在……

春的歌集

野暉

岸草半黃而蘆花肯舞；

西風冷冷了秋陽是暖的。

悠閑的漾水引我來，

忧爽的草路留我睡。

　你看俯下了碧天了，

　溫溫地伊將要抱我了！

　淡淡兒的雲輕輕飛⋯⋯

　我是雲底尾，

　我也輕輕飛去～～～

春 的 歌 集

我要（一九二三年）

湖上柳青時，

柳外的簫聲聽也癡。

好花初放；月上了；

我要學吹簫。

春 的 歌 集

鄰家座上

嘴裏微微歌。

臉上微微酡。

要說不說，怕人多。

嘴裏微微歌，

臉上微微酡。

天未曉曲

天還未曾曉，

天還未曾曉，

雨聲窗外，鷄聲遠，

醒——醒來了。

想起我底簫，

想起新抄的新風謠。

眞要飛向放鄉去：

一柄鋤頭過小橋，

稻田菜園裏逍呀遙。

春 的 歌 集

樓梯邊

飛一樣到樓下：

風吹了一陣瑞香花。

見面時一笑外，

不留半句話。

観督家裏

妹妹兒年紀十二三，

拗得來許多花朵兒，

要我編花環。

掠掠我短頭髮，

『戴不來花兒要甚用！』

——笑笑輕輕說。

軟坐我右膝上；

揀一朵黈些銅絲兒，

繞在我鈕釦上。

春 的 歌 聲

真 情

淡月的小庭裏，

　　教我隱了；

明燈的玻窗裏，

　　陪伊坐了。

靜靜裏流來，幾朵嬌笑幾枝話；

閒閒地映出，少女倆細斟茶：

　　美景和美情，

　　融成了水樣的畫。

狡巧的小媒人！

你也是女兒身。

　也不先問一問，

　伊還是肯不肯。

要相愛，不在相見，

　況是伊，沒見我面。

這番美意兒只好睬，

　千千諒諒吧；

　　引我生憐的最是你——

你織成這幀畫，

你贈我這幀畫。

春 的 歌 集

梅花風裏

微霜，微陽裏，

香汗透香肌。

舞罷輕披蕊絲髮；

清白何須綠葉衣。

有的已謝了，

有的還牛開。——

春 的 歌 集

我做我底愛做的，

不在你來不來。

不要你身邊睡！

要知輕香一絲絲，

盡是那東風吹。

春 的 歌 集

到郵局去

異樣閃眼的繁的燈。

異樣醉心的輕的風。

我袋着那封信，

那封緊緊地封了的信。

異樣閃眼的繁的燈。

異樣醉心的輕的風。

手指兒近了信箱時，

再仔細看看信面字。

卷二　頁二六

春 的 歌 集

綠梅花兒嬌

綠梅花兒嬌，

妻妻，我不要。

徒然，添一個少婦在我家，

像綠梅換了蠟梅花，

減一分人間的天眞美，

——少一枝窈窕花。

春 的 歌 集

探病去的路上

樹樹梅花不梳妝，

慘白的臉龐，

紛亂着縞素衣裳。

黯然看梅花：

『你們也聽到

雪峯是病了嗎？』

狂跳的心兒沸了的血，

都和入汽鍋了，

火車呵！火車呵！

柳條兒還未青。

春 的 歌 集

但願柳條兒不要青！

——我們攜手走，

都只在柳青的時候。

掠水的江鳥向天飛，

我也想跟上去：

縱然是雲裏呵，

也能見一見縹緲的杭州。

一鋤又一鋤；

一鋤又兩鋤。

一片蔥青的春草地，

如今是有了傷痕了！

鳥兒！鳥兒！你是尋誰呀，

春 的 歡 樂

空巢空枝上，

這樣地飛去又飛回？

想像我到了門口時，

我將問『雪峯是在哪裏睡？』

那時聽到了答語是——

唉！我不知要徽笑，

還是要下淚！

野桑枝兒也抽了芽，

家桑枝兒也抽了芽，

難道我們共命的雪峯，

真會沒些兒生機嗎？

再看看靜之信；

卷二　頁三〇

猙獰字兒依然是猙獰：

『醫生也保不定他底命！』

一樣的燈火，

一樣的車站。

獨自兒低頭過鐵欄。

還是去年初別時，

翩而沒悽慘。

春 的 歌 集

心　慰

見牀裏病人低拍手，

像天外飛虹破纛纛——

呵！雪峯他已見我來！

茶水是漢華慣；

花枝兒祝福是靜之探。

還得在他牀邊睡，

三人共一被，

轉側沒一回。

最是醒來，漠華笑：

『今朝更好了！』

曉陽裏靜之你寄一張片來。

晚陽裏漠華你寄一張片來。

答應了媽媽今夜歸……

愁眉換笑眉，

歸去也心慰。

春 的 歌 集

信來了

心語兒滿紙跳；

柔情兒不可描。

寄去的殷勤全收了，

回我是千辮嬌。

　翻書弄字沒心緒：

無端獨自笑，

無端獨自笑。

春 的 歌 集

剛是我心裏話，

還問我歡迎嗎。

這樣兒性情太可愛，

溫靜裏含瀟灑！

　逢人就向低低問：

　幾時是春假？

　幾時是春假？

春 的 歌 集

小學時的姊姊

讓星光雲眼在天上，

讓菜花伸腰到路旁，

讓村狗幾聲，村路冷，

讓前面是田野還是村莊……

我都不管這些那些，

我只想我故鄉裏——

小學時認識了的小姊姊：

想是放學回來的晚上，

輕輕地進去我閉了伊底紙窗；

停了針兒伊看了我笑，

卷二　頁三六

笑了兩笑手帕兒蓋上了繡棚了。

姊姊整個兒猜中了我底心，

姊姊萬事兒比我都聰明：

讓他蜂蝶們飛進窗裏來，

嬌麗的花枝兒新有帕兒蓋，

要採花粉也不可採。

耐心兒敎我戳紗；

耐心兒敎我繡花。——

愛看姊姊底美笑當回答，

愛碰到姊姊手兒底溫軟，

常常撚撚絹絲兒，針兒，說

『姊姊你替我穿！』

偶然我指兒上有了些紅，

春 的 歌 集

你總看了看繡棚皺了皺眉；

你早就抽出你底手帕兒了，

要不是我忙着辯明，『這是玫瑰水。』

記得你媽春裏有個清曉，

要我拿本書向你教教。

聽了，我禁不住地暗笑，

看看你底臉上也有笑絲在飄。

你媽只知繡棚邊你是我底師，

不知在燒火檯上，菜園裏，

我早變成了你底師。

——竈火熊熊地煖着你底背書聲；

桑葉青青裏浮起你底問字聲。

春 的 歌 集

蝴蝶的春換了雲霞的夏，

我有了暑假，我說我要暫時回家；

雲霞的夏換了芭蕉的秋，

我到了你家，你說我們別離太久；

可憐的芭蕉的秋還瀟瀟，

我底爹爹遠遊去，媽媽說是可以歸了家：

於是又，於是又依依地別離了！

從此和你就難相見，

借名來到你家來也只有一天兩天；

姊姊是知道我是膽小又怕羞的，

我怎樣敢在人前說起你我底情分呢？

如今看住在家裏時直像天，

但從家裏看那住在你家時，

春 的 歌 集

又像是白雲縹緲裏的仙。

嘴裏是你烹調的菜，

手裏是你洗淨的筷；

你家裏餐桌是小圓桌，

平時門裏，夏天是移到竹門外；

我和你媽是同一牀，

你底牀就任窗底旁；

幾番賭早起我都輸了你，

等我辨清是紙窗的曙光，

你早輕巧地走下了小樓梯；

晨裏你許我幫你燒燒火，

只問我昨天新書有沒有溫過，

一些別樣也不肯讓我做：

這些兒在家裏都不可見，

借名來到你家來也只有一天兩天。

姊姊，我怎樣敢在人前——

說起你我底怎樣怎樣的要好呢！

明年杏花爬上了泥牆，

爹爹信來要我離開故鄉，

那時英雄的想頭誤了我，

媽媽就伴了我到你家來辭行。

你媽底千萬叮嚀可憐我都忘了，

為是你捧茶時的默默，已儘使我心跳：

茶葉兒密密浮起，

滿室裏浸滿了靜悄悄。

留了一夜又終于要別了，

春 的 歌 集

你揭開繡棚要我剌些兒繡；

半年的在家手指兒硬久了，

你說就是一針兩針也好。

那時我媽和你媽都笑了，

我是爲你繡完了淡黃小蝴蝶。

還是你笑說可以走了，

看太陽眞已是偏到了竹籬的時候。

——等到樣樣兒舒齊了，

望見你樓窗開着，

只你媽送我們到門口……

姊姊，你底婉靜的柔美呀，

如像三月裏的嫩黃柳，微微有曉風吹；

姊姊，你底璀璨的明慧呀，

如像天纔亮時的霞彩

輕映在淺唱的溪水：

別來巳幾年，

不想你，難得有幾天：

你還在你媽身邊嗎？

你，我想煞要再見一見。

昨夜明星像今夜，

是明星又是明燈夜，

明燈輝映裏我見了想見的姊姊……

鮮艷的裝束，已不是娉娉嬝嬝，

是有個人兒要嫁了——

又不能叫你，問你，碰你手，

明明是一刻兒要上轎；

春 的 歌 集

只從你身邊走去走來，

只從你身邊走去走來，

莊重得全沒些女孩兒氣，

原來～～～你于我睬也不一睬……

花轎像朵紅雲捧了你去，

捧了去我也沒有言語：

我想煞要見你，你不想見——

誰使我們親近了又生疏？

四年的別離，我是只能去怨天。

姊姊你忘了舊時候！

不認識的相見不是我能受……

花轎像朵紅雲捧了你去，

捧了去我也沒有言語，

堂前喜樂鼓吹起，

卷二 頁四四

春 的 歌 集

終吹不起呀驀然再見時的歡愉………

今夜明星像昨夜。

昨夜睡夢裏怨姊姊；

醒來就自慰；

自慰了又苦念舊時的小姊姊：

我不要知道你有沒有郎，

姊姊，我只求你不要相忘！

舊時去了已不可再，

但願舊情如常——

但願將來再見時，

還肯舊時樣喊我聲乳名字……

而今姑讓我異鄉裏久久徬徨，

星夜裏菜花原也不像舊時的鮮黃，

春 的 歡 集

在從前就想去挑選伊一球好花來，

如今呢——就拗來了好花朵，

哪裏呀，是你底美新妝？

春 的 歌 集

田野的春

嫩紅的風兒微微。

嬌香的蝶兒飛飛。

藍布兒頭髮上；

曼聲兒輕唱。

手鈀底齒兒在田；

手鈀底柄兒靠肩；

雙手兒鈀柄上：

曼聲兒輕唱。

春 的 歌 集

看花去

不知道哪裏花兒好；

緊跟了蝴蝶兒跑 …

對河的桃林沿河塘：

脚邊苜蓿；

攔腰有菜花黃。

花枝掩映裏竹椅兒；

椅兒裏女孩兒；

線團兒小手裏，

編着甚麼的好東西。

卷二　頁四八

不知道哪裏花兒好；

緊跟了蝴蝶兒跑……

靜看桃葉外飛艇飛，

『何不飛艇裏種上些桃花呢？』

使得花瓣兒飛了時，

飛在江南裏朋友笛兒前，

飛在黃河以北裏先生筆兒邊。

不知道哪裏花兒好；

緊跟了蝴蝶兒跑……

卷二　頁四九

春 的 歌 集

初夏的初陽

「初夏的初陽是輕颺，

也會穿樹蔭？」

手裏有芍藥花，

只好問樹林借些蔭。

難得手裏有芍藥花，

春 的 歌 集

蝴蝶兒，謝也謝不去，

護送我到了家。

我送媽手裏芍藥花；

媽親手弄點心。

籬前媽又

又談到那個

那個姑娘兒底美性情。

春 的 歌 集

一件細事

烏雲又重來，

電燈又重開。

雨催郵人進我門；

「欠資招帖」，

替代了長信來。

郵票一分，

春 的 歌 集

鬆黏信口；

杭州離這裏幾百里，

他心裏原當我在杭州：

漠華我底哥，

漠華我底哥！

村野心情誰都不像你的多！

春 的 歌 集

梅雨後第一回曉遊的路上要

荷舜彥們吹簫

綠楊樹邊有小石橋，

咱們來，

來橋上和曲簫。

朝霞雖淡了曉星雖沉，

露草瀼瀼的泥塗渾渾，

放眼請看那濃蔭外——

濃蔭外，年青的晨曦早滿村。

卷二 頁五四

春 的 歌 集

草地之上

蟬唱，蟬唱，

唱成一片。

綠蔭，綠蔭，

綠成一片。

我友，我友！

我們也

談笑，談笑，

笑成一片。

——二三年夏七月，

華靈們來會時。
——

春 的 歌 襲

妹妹你是水

妹妹你是水——

你是清溪裏的水。

無愁地鎮日流，

率眞地長是笑，

自然地引我忘了歸路了。

妹妹你是水——

你是溫泉裏的水。

我底心兒他儘是愛游泳，

我想撈囘來，

燙得我手心痛。

妹妹你是水——

你是荷塘裏的水。

借荷葉做船兒，

借荷梗做篙兒，

妹妹我要到荷花深處來！

春 的 歌 集

偷 寄

行行是情流，字字心，

偷寄給西鄰。

不管嬌羞緊，

不管沒回音，——

只要伊

讀一讀我底信。

卷二　頁五八　完

卷 三

春 的 歌 集

三月五晨

慢慢地踱呀，

輕輕地踱呀，

離去故鄉的步！

慢慢地踱呀，

輕輕地踱呀，

離去母親的步！

慢慢地踱呀，

輕輕地踱呀，

離去情人的步！

春 的 歌 集

三月五夜

客地寂居的夜，

夢想立我妹妹在胸前，

替伊綴上滿頭的星：

但如今，只有淚呀，只有淚呀！

明朝將離去，

爲了你，又停留一天；

俯在伊耳邊細說：

愛人呀！我覺得多留一刻也好。

靜而模糊的夜，

但四週又似乎有萬馬奔馳，

卷三 頁二

愛人呀！這是我底心情，

在你底身邊瑟瑟彈起。

　　送你歸的路上，

捧着你底臉，作個長久的接吻：

愛人呀！明天就離去，

誰知道，誰知道何期是再會呀！

春 的 歌 集

三月六晨

妹妹呀，當我像野鹿一般，

奔向那森林裏來會你，

無論是會着或會不着，

我歸來即狂寫我底詩。

會着了你的歸來，

我就把你底油髮，把你底香唇，

渲染在我底詩裏；

會不着你的歸來，

我就把我底淚，我底憂慮，

綴繫在詩裏，跳躍在詩裏。

春 的 歌 集

妹妹，我們底愛，

是有缺陷的完全，

所以我想，將這些詩燒去，

也是留些痕跡；不燒去，

也是留些痕跡。

春 的 歌 集

三月六晚

妹妹呀，我們底家，

是只建築在黑夜裏的呀！

因爲白日裏，你是你，我是我，

逢着也兩旁走過去了：見了也無語的

低頭了。

妹妹，這問題燒得我好苦：

怎樣把我倆底家，

一樣的建築在白日裏，

在無論何時何刻呢？

妹妹，我們當知道，

卷三　頁六

春 的 歌 集

在他們底面前，是不許我們年少的結

　合；

我們當知道，

他們是可破壞的，他們是可破壞的！

春 的 歌 集

三月六夜

妹妹，當我過你門前時，

見你在階沿向空中寫字；

我知道，你寫的是什麼字——

可不是令你傷心的名兒？

妹妹，當我向你說我倆須逃亡時，

你默默無言了，美麗得與夜化合；

一剎後，你說，那是做不到的：

那時我知道，我知道，

家的愛，母親的愛，正在眷繫住你。

妹妹，我當然也想到，也念到，

卷三　頁八

春　的　歌　集

我自己也許做不到就逃亡：

我們要世界上全般的愛，

母親的愛，家的愛，鄉的愛。

春 的 歌 集

三月入晨一

西方猶留稀白的殘光，

溪水分作幽明的兩色，

路是漠遠而寂寥呵，

將離之夕呀！何如此之淒迷！

妹妹，我想將我生命之船，

揚帆載了你汎去；

當然，汎去是無定的漂泊，

汎去是無定的漂泊呵！

幾囘在你門前踟躕，

幾囘向森林中狂跑；

幾回飄漾我底心靈，

幾回漫流我底別淚。

　妹妹，別吧，別吧！

一切的絮語，我終和夜說過了；

將來，將來溪水會告訴你以我底別辭，

山靈會姍姍的來顧你。

春 的 歌 集

三月八晨二

昨夜做個夢，

夢你贈我一篇長詩；

妹妹呀！我醒後追維，

詩中的言辭，是如何感我底心呵！

我讀一句，想得你是笑了，

笑得與天末晚霞紅合；

我讀一句，我感動得流淚了，

家只築在夜裏的悲哀呀！

醒後，摸床頭的詩，

知是夢了，知是夢了！

卷三 頁一二

春 的 歌 集

但我倆底愛，就是詩，

我倆底夜會，就是一篇美曼的詩呵！

　妹妹，我巳受得你底詩了，

夢中讀過，一切都記取了！

今朝分手，今朝分手，

遠去兮，後會是何期呀？

春 的 歌 集

三月八晚途中

上午濃霧漫天，

我夢想故鄉在霧中，

夢想我母親在霧中，

夢想我情人在霧中。

下午細雨微微，

我夢想我故鄉在雨裏；

雨的故鄉裏，是住着

我母親和我情人。

明天呵，我願光明的天宇下，

故鄉的鄉南，喬仰着一株

卷三　頁一四

蒼老的高松，——那是我母親；

在那高松底蔭陰下，開放着

我那羞怯的花蕾，——那是我底妹妹。

春 的 歌 集

三月十八夜杭州

雨亂綴我衣上，風紛披我衣裳，

却終久在你門前佇立，

看定那門簾邊的你，

又仔細的思量，果是我妹妹嗎？

我倆走了，我倆從雨絲裏來了。

走到那休止的門前，

我細細摸遍我倆底衣裳，

知已滿了風痕雨斑了。

妹妹呀，知道是什麽意味，

我此刻的心情？

卷三　頁一六

自知彷彿幾瓣飄零的花片，

又經今夜的風吹雨打。

　送你歸的路上，

把我衣掩在你身上，

怕雨濕去你香髮，怕雨吻去你衣香，

怕你母知道有我淚落上你衣衫。

春 的 歌 集

三月十九夜 杭州

妹妹呀，我道，

我欲抱取你心中的愛戀；

但你却奠說，『我欲抱取你心中

的愛慮』，

因爲，因爲憂慮是悲苦呀！

風在屋頂飄落，

夜却是寂靜而無聊，

妹妹呀，我獨坐窗下，

細細描我倆生命的畫圖。

夜野是空靈得飛越，

卷三　頁一八

春 的 歌 集

我心却幾度燃燒，又幾度熄滅；

妹妹呀，後來我坐起，

默默追尋我暗碧的星天。

春 的 歌 集

三月二十夜杭州

山是如此的靜定，

天是如此的低迷，

我倆相偎抱在夜野中，

鬼神來祝福夜底一對兒女。

相依的站起，又相依的坐，

現代愛戀者的我倆底淚語呀，

有終朝細雨般的淒咽，

又如空與虛之相對語。

夜是怎樣的賜顧呀，

夜是我倆底父親，也是我倆底母親！

卷三　頁二〇

春 的 歌 集

我倆長依夜底膝下偎抱吧，

任溪水的流逝，日夜完成我們底愛。

春 的 欧 集

三月二十二夜杭州

沉悶裏握起筆來，

妹妹呀，寫你底名兒好呢，還是

描畫你底面容？

我覺得寫你底名兒寫不完好，

描畫你底面龐也描畫不像；

妹妹呀！你在我底心裏，是模糊，

又蒼茫。

別你有半月了，

朝夕晝夜，只要是垂頭，

就默默念起你底名兒，默默想起

你底臉兒；

幾次像哭般的喊着你，

也幾次用我底淚，勻細抹過你底

面容。

想到渺遠的未來，我倆底前程，

將怎樣的安排，將怎樣的預期，

就覺得飄飄了，就覺得宇宙霏霏

了！

妹妹呀，我們將怎樣的偕行，

將怎樣的去披棘斬荊，將怎樣的

去採花擷葉，

開闢出我倆底田地，建築起我倆

底園亭？

春 的 歌 集

深潭的水，高山的草，

你當是我底來歸吧！你登上峻嶺，

徘徊於原野，延佇於傾陂，

於晨，於夜，於太陽正中的當午，

想像五百里路外，正有我在泫淚

悲吟。

妹妹呀！流不斷的是我倆幽會

前的溪水，

長途隔不斷的，却是我倆底情戀

呀！

春風撫摩我底兩頰時，我向他低

語：

請呀，請寄個口信給我底妹妹，

在故土抹他淚的是你，在客地抹

　他淚的，

却是他自己的衣袖，却是他自己

　的手巾。

春 的 歌 集

三月二十三晚

此地又寂寥，却又喧嘩，

西方畫滿殘片的紅霞，

江水是一縷的青絲，

但是我，却日夜念着我底情人呀！

收圍我底心兒，

只任他在思路上慢踏；

也許君是不知，也許君已知之，

我却終是沉沉地想思呀！

我廓廓的心野，

掃去敗葉，拾去殘椏，

春 的 歌 集

妹妹，你慢揚你裙裾，細踏你足尖，

在我心野輕歌曼舞吧。

星星會沉落，雲裳會撕破，

但我底心衣，披給你的，

將永遠，永遠地鮮明而美麗，

你穿了，偕我歌舞在九天。

春 的 歐 集

三月二十五朝

左手攀住古藤，

右手輕舒理你底髮，

你呀，却明明用雙眼隃住我，

妹妹，這是如何刺破我底心呀！

放眼夜下四週看望，

這是如何的靜悄悄了！

迷明的遠山的紅花般的，

却是澗水獨自潺流的聲音。

我倆舉頭望夜空，

羣星繁明於高楓之巔，

春 的 歌 集

眉月却已西沉了；那時，

我徜徉於你曠散的心原。

　妹妹，這些那些都已過去了，

遠地是說不盡的寂寥呵！

夢兒空成，淚兒也空流；

夜底一對兒女呀，我倆如今是遠離！

春 的 歌 集

三月二十七朝

我靜思冥想，

我生前，你**心**是我底坟墓，

我死後，你心也是我底坟墓，

你髮呀，就是我底蔓草。

說不盡的思戀，

走不盡思路底蜿蜒；

妹妹呀，遠離戀人的旅客，

是如何如何的日長夜長呀！

把我手指當做一把鋤，

盡力鋤我頭頂的荒地，

卷三　頁三〇

那是思念神莫奈何了，
狂亂梳掠我紛披的頭髮：

　夜來了，我就狂跑，
茶店裏去吃茶，酒店裏去吃酒，
但不幸，在一般無聊的伴侶底中間，
又望見你底明眼來了！

　靜靜坐在牆角的藤椅上，
放眼在園底黑暗的四圍：
這是如何的一幅美麗的畫圖呵，
一對兒女，偎抱在夜色裏！

　獨自的出去　　獨自的歸來。

春 的 歌 集

　數盡路上的石塊，也扰盡

　坐旁的迷迷的春草，

　這是如何的倦人呀，妹妹！

春 的 歌 集

我又入夢

　　妹妹，你給我永遠

鎖住那夢的大門吧！

但現今，你却給我開了，

我又入夢，又入夢了！

　　妹妹，你永遠用紅線繫住我，

不使我進前去敲那夢的門；

但現今，我却猖狂地脫韁了，

大踏步陷入夢地底深奧。

　　妹妹，那夢裏，

是荒涼，是寥廓，是哀寂，

春 的 歌 集

有如暴海中的鬼島，

有如戰場上的孤壘呵！

　當然，我須粉碎我身，

我已被夢火激烈地燃燒了；

光餡千萬丈的當中，

妹妹呀，裏面沉溺着你底戀人！

　在夢外的你呀，妹妹，

實可決你底淚泉，

來歇滅我底夢境；

但我却不願意說呀！

　生存當無乾淨地，

卷三　頁三四

春 的 歌 集

何處去尋人生底樂園；

萬般騷動的人海中，

妹妹，我瘋狂撕碎我底身！

風雨夜期待的火

來路也無須望了，

斑裳也無須細想了，

心頭也無須白熱了，

神將溜過寒冰在你胸腔。

空踟躕在階前，

空聽雨聲亂迢遞，

空當冰風刮過面，

空火焚我底心原。

夜更沉沉地深了，

風雨更狂癇地發了，

心原底火更蔓延了，

愛人底步聲也更杳了。

細揣度我底心琴，

更緊張我底心絃，

更煩亂的雜奏了，

譜出我焦急的新聲。

四周如深山底寂靜，

又如有市井的繁聲，

又如有戰場的悲鳴，

也夾雜着老母幼子相呼致。

如登上蜀山底嵯峨，

春 的 歌 集

如步上蜀道底崎嶇；

任情海清淺的波流；

任天地淒楚的播弄。

春 的 歌 集

焚詩稿

焚去我戀詩底初稿，

那裏是寫滿我底憂愁，

是狂滾我底熱心；

那裏是濡染着妹妹底香潤，

縈戀着妹妹底善心：

現今，都將他葬在火裏。

火焰騰騰地昇了，

詩稿頁頁地毀滅了；

把我倆底愛情，

葬埋在毀滅的境地，

將他與永遠同存。

春 的 歌 集

詩稿留得一幅了，

那幅上是飛騰的寫着，

『妹妹，日夜完成我們底愛！』

我底心猛烈地狂撞了，

我倆底愛是永遠地缺陷，

是消滅的永存呀，妹妹！

都葬在火裏了，

詩稿幻成一堆紙灰；

在那灰色的宇宙裏，

能長留我倆底痕迹，

能永遠深藏秘密的愛情。

卷三　頁四〇

深夜鈔詩寄妹妹

深夜鈔上我底詩，

在乳白的水月箋上；

待明朝呀，待明朝呀，

將放在我妹妹底身邊。

筆尖在紙上狂走，

心意也跟着轉流；

連我一切寫不出的惝曼，

都放上字底橫直裏。

妹妹，你讀到這些詩時，

讀到我底憂愁吐成的，

春 的 歌 集

那你也莫哭；讀到你底憂愁

波潮在箋上了，那你也莫哭。

妹妹，你能細細地讀，

知道我底情意，在箋上馥郁得盈溢了，

不只豐藏在詩裏，

直氾濫在箋底空白與片角。

我狂寫我底詩，

來狂畫我倆愛情底雲山；

我希望我倆在我底詩裏，

交流我倆愛戀底苦情。

年華消逝得狂風般，

春 的 歌 集

春秋代序如輪翻；

但願放在你身邊的詩，

能永遠鮮明如我倆底愛情。

春 的 歌 集

記與雪夜話

一

雪，當我喋喋告語時，

我沉迷在紅萄的酒裏，

滿身沾染有酒底香潤，

也滿懷有酒底迷離。

迷離時我深深地垂頭了。

遵着沙路大踏的走，

穿過小街與靜悄的冷巷；

我告語你到雨夜的會合時，

滿耳聽得雨淅淅了，

我不能再告語你雨聲底末尾。

卷三　頁四四

我心底分馳呵，

彷彿五馬裂我底心；

我想畫東方底朝雲，

也想畫西方底晚霞。

雲，我坦示你，在愛上的歧路。
一

我過來的青春，

消失去在父母兄姊底苦海；

細細數苦海底珍寶給你看時，

我言語也似哭聲了。

我知道我自己底苦衷。

輾轉在沉迷的夜色下，

翻側我灰色的生命；

春 的 歌 集

告語後的沈息時，

我更認真我已敗了。

但我願努力再造狂熱的天地。

卷三　頁四六

春 的 歌 集

愛者底哭泣

藏在深衷的秘密，

不可憐我世人不知道，

只親愛與相依爲命的母兄，

都不能知道呀！

只窘困在我自己底心頭。

想奔上雲頭底層巒，

宣洩我深心底秘密；

想遁入冷寂的荒山，

高歌我中心的秘密：

讓他流轉在宇宙裏。

春 的 歌 集

淚只在我心頭流，

妹妹，願你能接受我底淚；

生命在歧路旋轉，

願走上生命底歧路：

但我將永遠的踟躕。

離去童年的故土，

尋燦爛的新生命去；

長依在家堂底馥郁裏，

葬去我倆底愛情：

但我願跨走兩邊呀！

阡陌將有我底終生，

都在我心野縱橫的開；

卷二　頁四六

終生都左手牽着母親，

右手又捨不下妹妹底手：

我將分裂我底生命。

我們杳杳地逃亡呀，

你我都捨不得家鄉去；

故鄉底夜的南野，

當天長地久有我們底夜泣：

你我都願接受全般的愛呀！

春 的 歌 集

尋新生命去

我火般的狂了，

不願把我倆底生命，

埋沒在草萊下的荒塚；

願把我倆底生命，

就毀滅也毀滅在我倆底愛戀裏●

卸去一切的羈絆，

斬斷心靈上的鎖鏈，

妹妹，風朝也好，雨夜也好。

我們相依逃亡吧，

我們須生存於新的意味裏。

卷三　頁五〇

風般掀動我們底衣衫，

洪水般氾濫我們底心潮，

我們狂舞在火光裏，

合唱我們男女相戀的歌，

唱起我倆底情火滿天紅。

不想只在故鄉生存了，

願把我倆消磨在奔波上；

我們停留山與海裏，

盡我們光明的血汗，

去日夜創造我們底宇宙。

春 的 歌 集

戀詩篇一

你玫瑰紅的面頰上，

塑起我生底墳墓，死底墳墓；

你重重的血吻，血吻裏迸出來的珠玉，

築起我墳墓底圈環！

妹妹，生生世世是你底人呀，

將杳杳默默的逃亡！

守不到終身是枉然；

有靈魂底擁抱，更望有肉體底飛舞！

撲入我懷裏來，但你媽，

却死命地牽你衣裾：我知道，

宇宙也許長存在，

春 的 歌 集

你我是終古不能並頭開。

但我望呀，我知你也望呀，

天邊的白船會載去你和我！

昨晚望湖上的夕霞，

眼前幻成你處女底血沸；

夜後夢入嶮巖鬼石的深谷裏，

海潮却湃湃地擁抱我倆——

愛者底淚綿綿在相合流，

『Cuddle！』『Cuddle！』『Cuddle！』

你命我，我命你。

南野底詩的會合，

你放你玉手在我唇邊而拈花微笑：

春 的 歌 集

夜底寂寞的女兒！

垂頭禮拜你身前的一老僧！

夢呀，夢呀，與天地同遠，

楓葉聲多裏，你我夢正長！

妹妹！暮暮夜夜底想思，

身却又將遠行了！路是無盡，

我知你我想思也將無盡。

舉眼望碧落，如何的悲狂呀！

你我底前程！你我底前程！

我們怎樣燃燒我們底野火呀！

嗚！嗚！嗚！……

——一九二三，七，一。

卷三 頁五四 完

卷　末

春 的 歌 集

秋夜懷若迦

去年七月我在家中，有一天我剛從溪邊幫妹子漂洗白布回來，路上忽然想起要讀一讀靜之寄來的蕙的風；但一進屋來，看見蕙的風是放在祖父底膝上；我看他只管把那綠綠的書面看來看去，久不抬起頭來，後又一頁一頁地亂翻。　他是一字不識的；詩神却不管你識字不識字，似乎已經打開我祖父底心門了，看他臉上不住地微浪着真實的笑花。

這一幅深刻的印象，不曾忘記。　今夜重新把若迦留在杭州的夜歌拿出來校讀，這幅印象又明顯地呈在我底眼前來。

春 的 歌 集

但是夜歌底作者，怎麼也不能同蕙的風底作者同夜而語的吧。　靜之是個少經世事的折挫，尚保存着天眞的人，他雖白日裏，也敢一步一回頭地瞟他意中人；而若迦却是飽嘗人情世態的辛苦人。　而且又被盲目的運命所擺弄，愛了一個禮敎和世俗都不許他愛的女郎；他們底愛是築在夜底空中，他們在日裏雖遇着，是你還你我還我呀！

若迦，在濛鬆細雨漫天下的秋夜，我怎麼也按不下我懷念你的心思來。　受了種種失望因而想入非非的你，在外頭到處都找不到安甯因而暫歸故里的你，依我按指算來，現在你總該早巳到了家了，然而

窓末　頁二

這去了將近十日，總是遙遙無消息。　而且我想到那個只因和情婦說了幾句話，便被惡徒們綁縛到戲台上去示衆，受莫大的恥辱的是你底哥哥。　他受了這莫大的恥辱，憤怒之餘，力加奮勵，出外求學；却在途中又被橫盜所刼，因此他不久便死了。　這樣收拾了一生的是你底哥哥。　想到被無情的男子欺負了，因而被夫家拒斥，因而歸娘家，受盡了種種侮辱遺棄輕視的是你底姊姊。　子女們底受恥辱，債主們底無情，因而你父親便營頹廢的生活了，又便死了。　你母親眞極無聊賴，終日縫補你們底衣褲，一邊懷着亡夫，一邊念着遠子，將眼淚打溼了自己的衣袖。　我

春的歌集

想起這些些，同情的淚打溼了這張稿子；
可見你孤僻的性情，和虛無的色彩，是養
之有素，來之有源的吧。

這樣地生活着，怎麼不苦壞了你呢！
種種矛盾的思想，常常反復在你心中，也
是當然的事情了。　想起人間種種的不平
，想起生平種種的被壓，立卽泛湧上革命
的血潮，同時也就燃起你「再生」之火；
然而一想到種種的夢想都會消滅，世上什
麼事情都會使你失望的時候，心頭立卽冰
了！眼淚立卽澆熄了你「再生」之火了！
自己讀了這樣寫成的自己的詩，又恐怖着
，『雪峯，我現在很怕，恐怕我要成了感
傷主義者』；然而我那時只說，『那末，

春末　頁四

以後勇壯一些好了』的一句不輕不重的無
心人的話，這更顯出你底蒼涼了。　這樣
的若迦，寫成的詩，悲字和淚字之多，也
當然的；然而說不定會有人看不懂，有人
會說你「無病呻吟」。　這可不必管牠。

　　只今你重新歸到日夜想念的故鄉，你
底情懷究竟怎樣呢？　一路錢江風景，兩
岸秋色；于你怎樣的感觸呢？　盡是舊時
的愁痕恨跡的故鄉，一到了怕也不能像滬
上電車中蕩着的故鄉，和錢江上所想望的
藍碧秋空下之故鄉的那般甜蜜吧。　說不
定又瞞了母親，摸到父親底坟地，向他訴
盡人們對于你的種種屈服吧。　或者一個
人倚在門口，對着山色獨自淒涼吧。　或

春 的 歌 集

者苦得無可奈何的時候，便跳到曠野，脚兒把地上的草用勁力橫掃了一下，以期撒却你底悲苦吧。　在這樣悲苦中，我們所祝福的，便只有在暗黑的秋夜，曠野裏會有一地給你和妹妹一刹那的會合之一事了。　縱然秋雨濛鬆，橫直你會把你衣袖遮她身子，她底身子不會被雨打溼，她母親不會追問。

然而有更大的心事落在我底心上。我正這樣懷疑懷恐着：當日本有島武郎和秋子同縊死在一室的消息傳來的時候，你全身的血幾乎都洶涌了；你憑弔有島武郎，並憑弔你自己。　『趁我倆能結合時，毀滅了我倆！』說不定，你反復地想到極致的時候，你會毀滅了你自己！　你反反復復地想，母親的愛，故鄉的愛，于你都是需要的，都是不能犧牲的；逃亡是決做不到了，——因爲結果要陷于一手挽着妹妹，一手爲母親牽住的悲劇。　只要你一想到結合不得，撇開不能，想得不能開交的時候，熱情騰沸的你，說不定會毀滅了你自己，雖然你明知道毀滅了也是缺陷。

　　若迦，只要我一想起『倘若他眞毀滅了他自己呢？』的時候，我底兩頰就立刻緊張起來，我底喉嚨不能不立刻哽咽了！而我底心裏盡是天大的恐怖了。　若迦，我固無法可以敎你排脫運命之手，然而倘使你這樣了，叫我怎樣呢？叫你母親怎樣

卷末　頁七

春 的 歌 集

呢？　我縱對你說也無益，『晚天扯破了雪裳，織女將織些錦霞來縫補』，然而你總不能忘記了你倆是「缺陷的完成」，不能忘記了日夜採摘些落花紅藥來補綴你們底愛吧？

　　　　　雪峯。一九二三，八，廿六夜，杭州。

一九二三年八月編成
　　　　十二月印
一九二三年末日出版

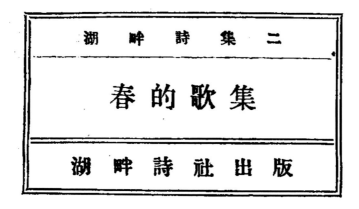

湖　畔　詩　集　二

春　的　歌　集

湖　畔　詩　社　出　版

杭州上海以及別處的書店

代賣

（實　價　兩　角　五　分）

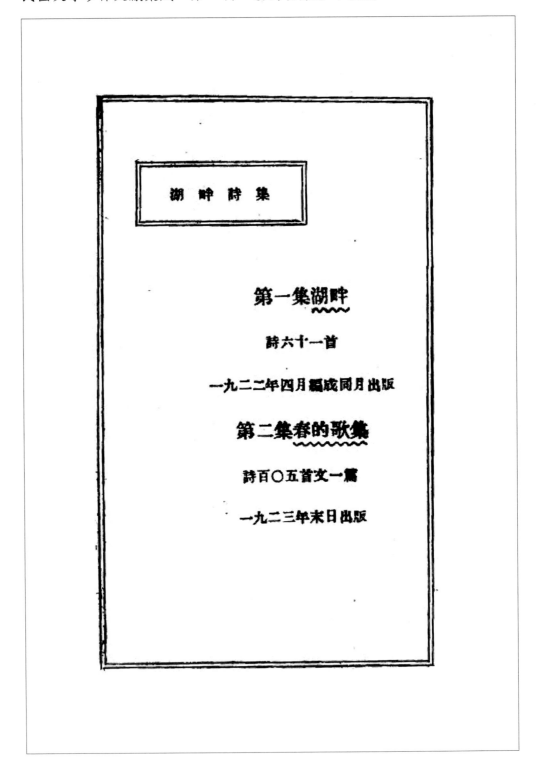

湖 畔 詩 集

第一集湖畔

詩六十一首

一九二二年四月編成同月出版

第二集春的歌集

詩百〇五首文一篇

一九二三年末日出版